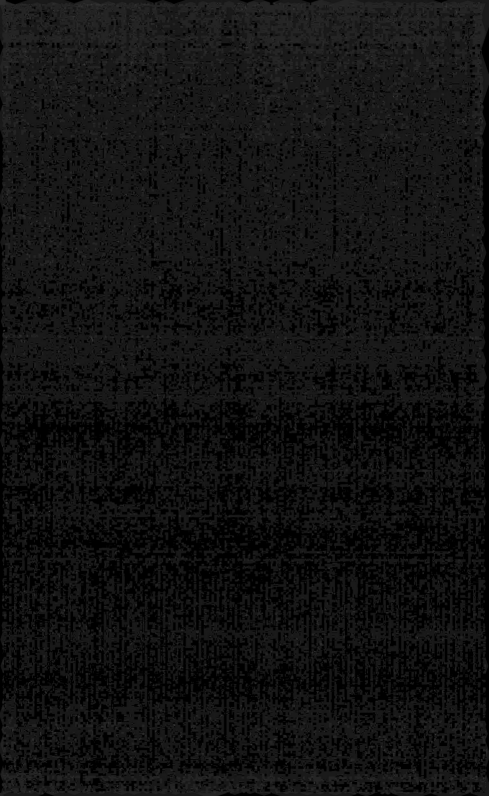

SKELETON CREEK

PSYCHOSE

Design : Christopher Stengel
Illustrations : Joshua Pease
Ouvrage originellement publié
par Scholastic Inc. (New York – USA)
sous le titre *Skeleton Creek – Ryan's Journal*
© 2009, Patrick Carman
© 2011, Bayard Éditions pour la traduction française
18, rue Barbès, 92128 Montrouge
ISBN : 978-2-7470-3362-6
Dépôt légal : mars 2011
Première édition

PC STUDIO

PATRICK CARMAN

SKELETON CREEK

PSYCHOSE

Traduit de l'anglais (US)
par Marie-Hélène Delval

bayard jeunesse

Lundi 13 septembre, 5h30

« Ça y est. Je suis mort. » C'est ce que j'ai pensé pendant un instant, cette nuit-là. Je n'arrête pas d'y repenser, toujours avec la même frayeur, bien que deux semaines se soient écoulées. Quatorze jours et quatorze nuits à ruminer les événements me laissent plus terrifié et plus incertain que jamais.

Ce qui signifie, je suppose, que ce n'est pas encore terminé.

Quelque chose me dit que ce ne sera jamais vraiment terminé.

Cette nuit, j'ai dormi dans ma chambre pour la première fois depuis que tout est arrivé. Je m'étais habitué à être réveillé dans mon lit d'hôpital par les pas traînants de l'infirmière, son odeur de craie sèche, la douce pression de sa main sur mon épaule :

– Le docteur va passer. Il aimerait te voir réveillé. Tu peux t'asseoir, Ryan ? Tu veux bien faire ça pour moi ?

Pas d'infirmière ni de docteur, ce matin ; pas d'odeur de craie pour me tirer du sommeil.

5

Rien que le premier train qui traverse la ville en cahotant à 5 heures 30. Sauf que, dans mon esprit engourdi, ce n'était pas un train qui passait mais je ne sais quoi de menaçant, de furtif, s'insinuant dans les ruelles aux premières lueurs de l'aube, à l'affût.

Le soulagement a suivi l'effroi : j'ai simplement retrouvé mon état naturel d'angoisse et de paranoïa, dû à mon imagination débridée.

Autrement dit, je suis de retour à Skeleton Creek.

D'habitude, quand le premier train me réveille, je vais droit à mon bureau et me mets à écrire avant que la ville commence à s'agiter. Mais ce matin, à l'idée que quelque chose me traquait, j'aurais voulu bondir du lit et sauter à bord de ce train. Impossible, évidemment.

À présent, mon journal posé sur un plateau aux pieds dépliés, deux oreillers dans le dos, je retrouve la seule activité qui m'a toujours aidé à me sentir mieux.

J'entame le récit de cette terrible nuit et de ce qui a suivi.

Lundi 13 septembre, 6 h 03

Il fallait que je fasse une pause. Écrire est très douloureux. Physiquement, mentalement, nerveusement. J'ai l'impression d'être en morceaux, cassé de partout. Je dois pourtant m'y remettre. Ces deux semaines à l'hôpital sans mon journal m'ont laissé affamé de mots.

J'ai déjà tenu des tas de journaux, mais celui-ci est particulièrement important pour deux raisons. Raison numéro 1 : je ne l'écris pas pour moi. Je le destine à quelqu'un, ce que je n'avais encore jamais fait. Raison numéro 2 : j'ai le pressentiment que je n'en écrirai pas d'autres ; ce sera mon dernier.

Si quelqu'un trouve ce journal et se demande qui en est l'auteur, qu'il sache que mon nom est Ryan. Je vais bientôt fêter mes seize ans, je suis donc presque en âge de conduire. (Encore que, pour ça, il me faudrait une voiture.) On dit que je suis grand pour mon âge, mais que je devrais prendre un peu de poids, sinon je n'aurai aucune chance d'intégrer l'équipe de rugby au lycée l'an prochain. J'espère bien rester maigre.

J'imagine à quoi aurait ressemblé ce matin s'il n'y avait pas eu l'accident. Je me serais préparé à une longue heure d'autocar jusqu'au lycée. J'aurais eu beaucoup à raconter à Sarah. J'ai aimé chaque moment passé auprès d'elle. Tant de choses nous rapprochaient et nous empêchaient de devenir à moitié cinglés dans une ville de moins de sept cents habitants.

Ces conversations avec Sarah vont me manquer. En vérité, je ne suis même pas sûr d'être autorisé à mentionner son nom. Mais je ne peux tout de même pas renoncer à écrire ! J'ai besoin d'écrire, c'est comme ça. Mes professeurs, mes parents, Sarah elle-même, tous disent que j'écris trop, que je suis un obsédé de l'écriture. Et ils ajoutent dans la foulée que je suis doué. Comme le jour où Mme Garvey a déclaré que j'avais le sens des mots et de leur usage comme un musicien prodige a celui des notes et des sons. Mon explication est plus simple et — j'en suis presque sûr — plus juste que celle de mon professeur : j'ai beaucoup écrit, chaque jour, chaque année, des années d'affilée. Le talent naît de la pratique.

Mes écrivains préférés sont ceux qui ont déclaré ne pouvoir vivre sans écrire : John Steinbeck, Ernest Hemingway, Robert Frost, des types pour qui l'écriture était aussi nécessaire que l'air et l'eau. Écrire ou mourir. Cette devise me convient.

Car j'en suis là. Écrire ou mourir.

Si je feuillette les journaux que j'ai tenus, j'y trouve deux sortes de textes : des histoires d'horreur de mon invention et les récits d'événements étranges survenus à Skeleton Creek. Pourquoi ? Sans doute parce qu'un écrivain traite les sujets qu'il connaît. Et j'ai connu la peur toute ma vie.

Je ne pense pas être un trouillard. Si je l'étais, je ne me serais pas mis dans cette situation. Mais je suis du genre à analyser, m'inquiéter, me tourmenter. Si j'entends un grattement sous mon lit — réel ou imaginaire —, je fixe le plafond pendant des heures en me demandant quelle espèce de créature aiguise ses griffes sur le plancher. (Je me la représente avec des crocs, de longs doigts osseux, des yeux rouges et globuleux.) Pour un garçon comme moi, anxieux et doté d'une vive imagination, Skeleton Creek est le pire endroit où passer son enfance.

Ce que j'écris a changé au cours de cette année. Mes deux thématiques — les histoires d'horreur et les rapports sur les événements de Skeleton Creek — se sont peu à peu fondues en une seule. Je n'ai plus besoin d'inventer, car, plus que jamais, je suis persuadé que la ville où je vis est hantée.

C'est la vérité.

Et la vérité, je l'ai appris, peut vous tuer.

Je suis fatigué, maintenant. Si fatigué.

Il faut que j'arrête.

Même si je ne peux pas m'empêcher d'y penser.

Lundi 13 septembre, 14 h 00

Je dois garder ce cahier caché.

Veiller à ce que personne ne me surprenne en train d'écrire.

Ils sont assez curieux comme ça.

Ils me surveillent assez comme ça.

Je suis prisonnier, il n'y a pas d'autre mot. Emprisonné dans ma propre chambre.

Que savent-ils exactement ? Je n'en ai aucune idée.

Je ne suis même pas sûr de ce que je sais, moi.

J'ai tant de questions, et aucun moyen d'y répondre.

Le fait d'avoir été absent deux semaines d'affilée m'aide à regarder Skeleton Creek d'un œil neuf. Désormais, j'arrive à me représenter ce que peut ressentir un étranger en découvrant cette ville isolée, perdue entre les montagnes.

J'aime jouer avec ces pensées et les noter à mesure qu'elles me viennent. C'est une drôle d'habitude, dont j'ai du mal à me défaire.

Peut-être les choses sont-elles plus rassurantes lorsque je les considère comme de la fiction.

Si j'imagine l'effet que produit Skeleton Creek lorsqu'on y pénètre pour la première fois, voilà ce que ça donne :

Le soleil vient à peine de se lever quand une portière s'ouvre. Un homme sort de sa voiture et se plante au bord de la route, les yeux fixés sur la forêt qui cerne la ville. Un brouillard gris, épais et tenace, s'accroche aux arbres ; il dissimule on ne sait quoi de malfaisant tapi dans les bois. L'homme remonte dans sa voiture, verrouille la portière et observe les rues à travers le pare-brise sale.

« Qu'est-ce qui a mis cette petite cité à genoux ? se demande-t-il. Cet endroit n'est pas mort ni en train de mourir. Il a juste été oublié. »

La voiture décrit alors un rapide demi-tour, car l'homme au volant a senti une menace planant sur la ville solitaire, que la lumière du jour ne repoussera pas : des secrets y sont enfouis, et il vaut mieux les laisser là où ils sont.

L'homme ne pourrait dire précisément ce qui l'a effrayé. Moi, je le peux. Sarah aussi. Nous savons qu'un maléfice pèse sur ces lieux. Le plus grave, c'est que nous l'avons approché de trop près.

Je ferme ce cahier, on vient.

Lundi 13 septembre, 16 h 30

Quand notre enquête a-t-elle commencé?

Si je pouvais consulter mes vieux journaux, je retrouverais la date exacte. Mais je les ai cachés, et mon état ne me permet pas d'aller les chercher. Il me faudrait de l'aide. Or, la seule personne qui pourrait m'aider, Sarah, n'est plus à mes côtés.

Nos recherches ont débuté, je crois, avec la question qu'elle m'a posée l'été dernier:

— Pourquoi Skeleton Creek?

— Tu veux dire: pourquoi ce nom?

— Oui. Pourquoi appeler une ville Skeleton Creek, « La Rivière du Squelette »? Personne n'a envie de visiter un lieu qui porte un nom pareil! Ce n'est pas bon pour le tourisme.

— Ceux qui l'ont appelée comme ça avaient peut-être envie d'éloigner les visiteurs.

— Tu ne trouves pas bizarre que personne ne veuille en parler? On dirait que les gens cachent quelque chose.

— Toi, tu cherches une bonne excuse pour aller fureter dans le coin avec ta caméra!

– Ça cache quelque chose, je te dis. Un nom pareil, ça ne sort pas de nulle part!

Je me souviens avoir pensé que ça ferait une bonne histoire, et que j'aimerais être celui qui l'écrirait. J'imaginais les habitants de Skeleton Creek applaudissant mes efforts pour ressusciter le passé. L'idée d'écrire un texte qui compterait me séduisait.

Notre enquête a débuté à la bibliothèque municipale, une pièce sinistre de neuf mètres carrés, ouverte le mardi et le mercredi. Elle ouvre également le jour de l'An, le jour de Noël et le dimanche de Pâques car, selon Gladys Morgan, notre lugubre et préhistorique bibliothécaire: « Comme personne ne vient ces jours-là, il règne le silence de tombeau qui convient à une bibliothèque. »

Gladys Morgan n'est pas une femme aimable. Elle jette à tous ceux qu'elle croise le même regard accusateur, comme s'ils avaient donné des coups de pied à son chat. Sa peau ressemble à du papier froissé. Sa lèvre inférieure pend mollement au-dessus de son menton. On dirait qu'elle va mordre.

Je me souviens de notre entrée dans la bibliothèque, annoncée par le tintement de la clochette.

La salle sentait le moisi, et je me suis demandé d'où provenait cette odeur : des vieux livres ou de leur gardienne ? Tandis que je balayais du doigt la tranche des plus ennuyeux ouvrages jamais rassemblés, Sarah harcelait Gladys de questions jusqu'à ce que celle-ci l'arrête d'un geste de la main et se décide à parler :

— La ville s'appelait autrement, avant 1959.

Elle a extirpé de sous son bureau, qui tombait lentement en ruine depuis au moins cent ans, un casier à bouteilles plein de journaux déchirés et jaunis.

— Vous n'êtes pas les premiers à poser cette question. Je vais donc vous prévenir, comme les autres.

Elle a jeté un coup d'œil vers la rue à travers les rideaux sales avant de pousser la caisse sur le bureau, ce qui a laissé une large trace dans la poussière. D'un ton bizarre, presque superstitieux, elle a dit :

— Lisez-les si vous voulez, mais après, oubliez tout ça. Vous ne feriez que vous attirer des ennuis.

Gladys a enlevé ses lunettes et sorti un mouchoir de sa poche pour nettoyer ses verres. Le mouvement de ses mains ridées faisait danser des ombres derrière elle, sur le papier peint en lambeaux.

— Je note que vous avez emprunté ces documents. Rapportez-les mardi. Le tarif est d'un dollar par journée de retard.

Après quoi, la bibliothécaire s'est fermée comme une huître, à croire qu'elle craignait les oreilles indiscrètes et qu'elle estimait nous en avoir déjà révélé plus qu'elle n'aurait dû. Mais Gladys Morgan nous avait donné une piste, un fil à tirer. Nous ne nous imaginions pas vers quels problèmes cette piste allait nous entraîner.

J'ai marqué une pause parce que tout ça me rappelle Sarah.

Je me demande si elle raconterait les faits de la même façon que moi. Pas en les écrivant, évidemment. « Ce n'est pas mon truc », comme elle dit toujours. Mais ses souvenirs correspondent-ils aux miens ?

Quand je regarde en arrière, je vois des signes annonciateurs de danger. Quand Sarah regarde en arrière, elle voit des raisons de partir à l'aventure.

Elle me manque.

Je lui en veux.

J'ai peur pour elle.

J'ai peur d'elle. Pas beaucoup. Un peu tout de même.

J'ai eu tort d'écrire : « Je lui en veux. »

Elle ne m'a pas obligé à la suivre.

J'y suis allé de mon plein gré.

C'est moi qui me suis mis en danger. Même si je n'en étais pas conscient.

Ce que je veux dire, c'est que rien ne serait arrivé si Sarah n'avait pas été là.

Maintenant...

Elle me manque vraiment.

Et je lui en veux vraiment.

Et je suis sûr qu'elle ne raconterait pas cette histoire comme moi.

Où en étais-je? Ah oui! Nous avons commencé à lire les vieux journaux. De 1947 à 1958, il y avait une parution mensuelle pour les mille deux cents habitants que comptait alors la ville. Le titre du journal était des plus banals: « Le mensuel de Linkford ». Ainsi avons-nous appris qu'autrefois, notre ville s'appelait Linkford. Ça sonnait bien, c'est ce que j'ai pensé sur le moment.

Le titre du journal est devenu plus intéressant en 1959, quand il a été renommé « L'irrégulier de Skeleton Creek ». (Un nom approprié, puisque nous n'avons trouvé qu'une poignée de numéros publiés entre 1959 et 1975, quand le rédacteur en chef s'est enfui à Reno, dans le Nevada, en emportant le matériel d'imprimerie.)

Linkford avait été bâtie au bout d'une longue route déserte, au pied d'une montagne couverte de forêts, dans l'ouest de l'Oregon. La ville a changé de nom à la demande d'un dirigeant de la New-Yorkaise Or et Argent, une compagnie minière. Cela nous a étonnés. Que des gens de New York aient pu s'intéresser à ce trou perdu nous a même paru ahurissant.

Je me revois interrogeant Sarah :

— Qu'est-ce qui a bien pu pousser une grosse compagnie à rebaptiser la ville ?

— C'est à cause de cette machine monstrueuse, dans les bois, m'a-t-elle répondu. La drague. Je suis sûre qu'il y a un rapport. Elle leur appartenait, je suppose.

La drague. Nous étions déjà allés l'examiner. Je parierais que Sarah avait conçu un plan dans sa tête bien avant cela.

Sans imaginer les conséquences.

Seulement par amour du mystère.

Nous avons rassemblé les bribes d'informations recueillies auprès des gens qui acceptaient de parler (ils étaient rares) et celles trouvées dans les journaux (trente numéros en tout, incomplets pour la plupart). Nous foncions tout droit vers les ennuis annoncés par la vieille Gladys Morgan. Pourtant, nous avons continué à tirer sur le fil.

Au début, j'étais moins enthousiaste que Sarah. Si nos parents avaient découvert nos manigances, ils nous auraient interdit de nous mêler des affaires des autres. Le respect de la vie privée a toujours été une religion, dans notre ville.

Mais Sarah sait se montrer persuasive, surtout quand elle découvre un bon sujet de film. Elle est aussi passionnée par le cinéma que je le suis par l'écriture. Notre obsession créative nous attire l'un vers l'autre, comme des aimants. Et j'ai toujours en beaucoup de mal à lui résister quand elle a décidé de m'entraîner quelque part.

Nous avons poursuivi nos recherches.

Bien sûr, je sais où cela nous a menés.
Je veux juste le mettre par écrit.
C'est tout.

Lundi 13 septembre, 20 h 30

Souviens-toi.

Il faut que je me souvienne des moindres détails.

Ils peuvent tous être importants.

J'ai l'impression qu'il est minuit. Il n'est que 20 heures 30.

Comment en suis-je arrivé là?

Arrête, Ryan. Allez, souviens-toi!

Même si tu sais ce que tu vas éprouver.

Même si tu n'as aucune réponse à tes questions.

Dans quatre numéros du journal local, des petites annonces faisaient allusion à des têtes de mort. C'étaient des messages énigmatiques, contenant des séries de symboles et de courts textes incompréhensibles. L'un d'eux était ainsi rédigé:

« Rez-de-chaussée et 7ᵉ, quatre après le neuf sur porte numéro deux. Crâne. »

Quel individu sensé saurait déchiffrer ce charabia? Pas nous, en tout cas.

Toutes ces annonces avaient été publiées entre 1959 et 1963, dans « L'irrégulier de Skeleton Creek ». Puis, en 1964, elles avaient cessé. On pouvait cependant voir les mêmes symboles à différents endroits. L'un d'eux — deux os entourés de fil de fer barbelé — était visible au-dessus de la porte du café, sur un panneau à l'entrée de la ville, et gravé dans l'écorce d'un très vieil arbre, sur un sentier de la forêt. S'agissait-il de l'emblème d'une société secrète ? Quel était son but ? Qui en avait fait partie ? Ses membres se réunissaient-ils encore ? Et, si oui, qui étaient-ils ?

Notre piste s'arrêtait là.

Nous avons cherché des indices sur Internet, fouillé sans répit le passé de la ville. La New-Yorkaise Or et Argent avait fait faillite suite à des poursuites judiciaires pour des questions environnementales ; on n'en trouvait plus trace après 1985. Cela ne nous a pas empêchés de suivre le sentier obscur, dans la forêt, pour examiner ce qui restait de l'exploitation.

Est-ce que je préférerais n'avoir jamais emprunté ce sentier?

Oui.

Non.

Je ne sais pas.

C'est trop compliqué.

Trop compliqué? Rien ne serait arrivé si nous étions restés à distance de la drague.

La drague tient une place essentielle dans le sombre passé de la ville. Sa carcasse solitaire est toujours là, abandonnée au plus profond des bois. La drague, nous l'avons appris, était une machine redoutable. Elle servait à trouver de l'or et fonctionnait avec entêtement : vingt-quatre heures sur vingt-quatre, trois cent soixante-cinq jours par an. Plantée au milieu d'un lac de boue qu'elle avait creusé, elle plongeait profondément dans la terre des seaux gigantesques qu'elle remontait pleins de pierres et de débris. Rien n'échappait à son appétit. Elle avalait tout, des arbres, des rochers, des mottes de terre plus grosses que moi; elle les tamisait dans un vacarme assourdissant, avant de les recracher en tas informes de plusieurs mètres de haut. Elle laissait derrière elle une traînée de désolation, tout ça pour arracher à la terre quelques minuscules pépites d'or.

La tranchée creusée par la drague a formé le ruisseau de trente kilomètres qui serpente du pied de la montagne jusqu'à l'extérieur de la ville. La terre éventrée s'est remplie d'eau; sur les rives, les branches délavées des arbres détruits ressemblent un peu à des os brisés.

C'est un homme en costume venu de New York qui a appelé ce cours d'eau, arraché à la terre et aux cailloux, Skeleton Creek, « La Rivière du Squelette ». Peut-être pour plaisanter. Peut-être pas. Quoi qu'il en soit, ce nom est resté. Peu après, il s'est étendu à la ville. Il faut croire que la New-Yorkaise Or et Argent avait assez d'influence à Linkford pour transformer jusqu'à son nom.

Notre découverte la plus intéressante — ou la pire, c'est selon — concernait la mort accidentelle d'un ouvrier, le vieux Joe Bush. Un seul numéro du journal le mentionnait. Le pantalon de Joe Bush s'était pris dans la chaîne, et la drague l'avait emporté, lui broyant la jambe. Puis elle l'avait recraché dans la mare bourbeuse. Le vacarme de la machine dans la nuit profonde avait couvert ses cris. Personne ne l'avait entendu.

Joe Bush n'est jamais remonté des eaux noires.

Lundi 13 septembre, 22h00

Bon, je pense que tout le monde est couché, maintenant.

Je peux reprendre mon récit.

Hier soir, à mon retour de l'hôpital, j'ai retrouvé mon ordinateur. Ça peut paraître bizarre, mais le formidable pouvoir d'un ordinateur est décuplé pour des êtres comme moi, condamnés à vivre dans une petite ville, loin de tout. Il est le seul moyen d'échapper à l'ennui, à l'isolement, à la déprime. C'est encore plus vrai dans mon cas, car Sarah n'arrête pas de m'envoyer ses vidéos pour me demander mon avis.

Un simple *clic!* suffit à vous changer la vie.

Parfois pour le meilleur.

Parfois pour le pire.

Mais ça, on n'y réfléchit pas.

On clique, voilà tout.

Je pense à une vidéo en particulier, celle que Sarah a tournée il y a quinze jours, la veille de l'accident. Cette vidéo aurait dû être un avertissement : VOUS ÊTES ALLÉS TROP LOIN!

FAITES DEMI-TOUR! J'ai peur de la regarder de nouveau, car je sais ce que je vais éprouver: la sensation angoissante que ma vie a été coupée en deux morceaux. Il y a tout ce qui s'est passé avant, et tout ce qui se passera après.

À présent, je vais refermer ce cahier, même si je n'en ai pas envie. Je risque moins d'être surpris en écrivant tard dans la nuit. Mais je ne peux pas résister à l'envie de regarder tout de suite la vidéo. Je dois la regarder encore une fois, maintenant que le pire est arrivé.

Peut-être que ça m'aidera.

Peut-être pas.

En tout cas, il faut que je le fasse.

Il le faut. J'ai peur.

C'est si facile. Aller sur le site de Sarah: sarahfincher.fr.

Entrer le mot de passe: MAISONUSHER.

Puis cliquer.

Rien qu'un clic.

Fais-le, Ryan.

Fais-le.

sarahfincher.fr
Mot de passe :
MAISONUSHER

Lundi 13 septembre, 23h00

Sarah est allée seule jusqu'à la drague, cette nuit-là. Quelle excuse avais-je trouvée ? Mes devoirs ! C'était un mensonge, elle le savait aussi bien que moi. Or, au lieu de me faire une scène, elle est partie sans moi, comme à chaque fois que je rechigne à me lancer dans une aventure. Est-ce que je me suis mis à mes devoirs ? Bien sûr que non. J'ai attendu qu'elle revienne, qu'elle m'envoie un message pour me rassurer.

Puis le mot de passe s'est affiché sur mon écran. J'étais heureux de la savoir indemne. Mais je ne savais que penser de ces images à vous flanquer la chair de poule. Je les ai visionnées au moins dix fois, cette nuit-là. J'étais assis devant mon bureau, à me demander si c'était une de ses inventions destinées à me terroriser, en guise de représailles, parce que j'avais refusé de l'accompagner. C'était bien son style : elle était capable de monter un coup pour que je culpabilise.

Le lendemain matin, je suis allé chez elle avec l'intention de la féliciter. Si elle avait voulu me faire peur, elle avait réussi! J'étais curieux de savoir comment elle avait créé l'hallucinante apparition du visage à la fenêtre.

La conversation n'a pas pris le tour que j'attendais.

— Tu penses que je l'ai fabriquée?

Que j'aie pu le supposer semblait lui paraître incroyable. Comme si elle ne m'avait pas déjà berné des millions de fois.

J'ai cru qu'elle continuait à se moquer de moi.

— Ce coup-ci, tu ne m'auras pas. C'est un de tes meilleurs films. Ces bruits métalliques et ce visage... Qui était l'homme derrière les carreaux? Il t'a fallu un figurant. Qui t'a aidée?

Elle a secoué la tête; je m'en souviens parfaitement.

— Je suis allée dans les bois avec ma caméra, c'est tout. Il n'y avait personne avec moi.

— Tu parles sérieusement?

Au bout d'un long silence, elle a posé sur moi ce regard de défi que je lui connais bien:

— Tu ne me crois pas? Accompagne-moi là-bas cette nuit, tu verras par toi-même.

Si cette réplique était dans un film et non dans un journal, je devrais la rembobiner et la repasser :

« Tu ne me crois pas ? Accompagne-moi là-bas cette nuit, tu verras par toi-même. »

Encore une fois :

« Tu ne me crois pas ? Accompagne-moi là-bas cette nuit, tu verras par toi-même. »

J'ignorais où cela allait nous mener. Comment aurais-je pu le deviner ?

Elle ne m'avait pas posé une question. Elle n'avait pas dit : « Veux-tu m'accompagner et vérifier par toi-même ? »

Non, elle est bien trop maligne pour ça.

Elle ne me laissait aucune chance de refuser.

« Tu ne me crois pas ? Accompagne-moi là-bas cette nuit, tu verras par toi-même. »

On a encore regardé la vidéo à deux reprises sur son ordinateur et, à chaque fois, un frisson glacé me parcourait le dos. Tout semblait vrai et, d'habitude, quand je pousse Sarah dans ses retranchements, elle admet avoir menti. Là, non. Comment aurait-elle pu créer un effet si élaboré, si réel? Même pour quelqu'un d'aussi doué qu'elle, ça paraissait impossible.

Alors je l'ai crue.

— Ce soir à minuit, a-t-elle déclaré. On se retrouve au début du sentier et on y retourne ensemble.

— Tu es sûre de toi?

— Tu plaisantes? Cette ville est lugubre à mourir. On va finir par y crever d'ennui. Pour une fois qu'il se passe quelque chose d'intéressant! Imagine l'histoire géniale qu'on va en tirer! Tous ces mystères qu'on a découverts, et maintenant ce truc dingue, cette espèce de... Fantôme, il n'y a pas d'autre mot. On n'a même pas à se poser la question d'y aller ou pas. Il FAUT y aller.

C'était Sarah dans son meilleur numéro de persuasion. Elle avait parlé avec une conviction imparable. Du moment que ça lui permettait de faire la seule activité qui la sortait de la déprime ambiante — filmer —, elle était prête à tout.

J'ai une théorie là-dessus. Mes activités sont moins risquées que celles de Sarah. Je peux écrire à propos de n'importe quel sujet — monstres, spectres, bras qui se détachent du corps, enterrés vivants —, c'est sans conséquences puisque ça sort en toute sécurité de ma propre imagination. Mais, pour filmer, il faut avoir quelque chose à filmer, et c'est un bon moyen de se mettre en danger.

C'est ce qui s'est passé pour nous.

Il faut vraiment que je dorme, maintenant.

Mardi 14 septembre, 1h25

... sauf que je n'arrive pas à dormir.

Pas à cause du bruit horrible des chaînes rouillées qui se sont remises à tourner (je ne cesse de les entendre) ni à cause des ombres bougeant au dernier étage de la drague (je déteste les ombres). Ce qui me terrifie le plus, c'est la voix de Sarah. La peur dans sa voix. Avant d'avoir regardé sa vidéo, je ne lui avais jamais entendu cette voix-là.

Sarah, rien ne l'effraie. Quand elle s'est acheté sa première caméra, elle a interviewé un vagabond qui passait en ville. Le moins qu'on puisse dire, c'est qu'il n'était pas propre. Tout ce qu'il possédait tenait dans un grand sac-poubelle, et il brandissait une pancarte sur laquelle on lisait : LOS ANGELES, S'IL VOUS PLAÎT. Sarah adresse la parole à des inconnus sans hésitation. Elle examine l'intérieur des voitures garées sur les parkings, écoute aux portes et n'a aucun scrupule à entrer au café (pour discuter avec les consommateurs, pas pour boire).

L'année de nos onze ans, elle m'a persuadé qu'on saurait escalader la paroi escarpée d'une falaise jusqu'au sommet. Elle avait raison, on a réussi. Sauf qu'on n'aurait jamais pu redescendre sans l'aide de son père, d'un garde forestier, de ma mère et des pompiers volontaires du département (trois bûcherons et un officier de police à la retraite). De cette aventure, j'ai gardé en mémoire le premier sermon de mon père :

— Trouve d'autres amis. Mets-toi au foot, si tu veux. Mais cesse de passer ton temps avec cette fille. Elle ne t'attirera que des ennuis.

Ensuite, il y a eu l'incident de l'auto-stop. Sarah m'avait convaincu de nous rendre à la grande ville la plus proche, à une centaine de miles, pour « observer des urbains dans leur environnement naturel ». La nuit venue, ne trouvant aucun véhicule pour nous ramener, nous avons dû téléphoner à mon père. Au cours du long voyage de retour jusqu'à la maison, nous avons eu droit à un deuxième avertissement :

— Arrêtez de vous comporter comme des idiots. Vous finirez par avoir un accident.

Et il n'a plus desserré les dents de tout le trajet.

Puis, le mois dernier, un mardi soir, on nous a surpris tentant de pénétrer par effraction dans la bibliothèque. Elle était fermée, à cette heure, et nous espérions trouver d'autres vieux journaux. Au lieu de quoi, nous sommes tombés sur Gladys Morgan. Elle était assise dans le noir, un fusil de chasse pointé sur la porte, en train de lire « Le bruit et la fureur » de William Faulkner. On a eu de la chance qu'elle nous reconnaisse. Sinon, elle nous aurait lardés de plombs au point qu'on n'aurait plus jamais pu mettre un pied dans un restaurant sans qu'on nous confonde avec du gruyère (ce sont ses mots, pas les miens). Après avoir déclaré qu'on était plus bêtes que deux sacs remplis de cailloux, elle a appelé nos parents.

Comme vous l'imaginez, nos parents respectifs ont souhaité nous tenir aussi éloignés que possible l'un de l'autre.

C'est la somme de tous ces problèmes qui les a rendus inflexibles quand les choses ont fini par mal tourner.

Voilà pourquoi, s'ils maintiennent leur inter-diction, Sarah et moi ne nous reverrons plus.

Mardi 14 septembre, 2h00

Je viens de faire une bêtise : j'ai regardé ma boîte mail. Au beau milieu de la nuit. C'était une mauvaise idée. J'aurais dû réfléchir. Mais ma messagerie est restée vide depuis hier. Pas même un malheureux : « Bon retour à la maison ! » Toute la journée, je me suis demandé si mes parents avaient intercepté quelque chose et l'avaient supprimé. Ils surveillent tout dans les moindres détails.

Et là, un message vient d'arriver. Je l'ouvre ou pas ? J'hésite. Car, je le sais, dès que Sarah et moi aurons repris contact, tout recommencera.

Cependant, comment résister ? Je n'ai jamais su résister à Sarah.

« Que tes erreurs te servent de leçon », me souffle une moitié de moi.

« Ce n'étaient pas des erreurs », rétorque l'autre moitié.

Bien sûr, la curiosité va l'emporter. Ou peut-être l'amitié.

J'ouvre le mail.

Ryan,

Je suis désolée pour ce qui s'est passé. Au moins, tu es de retour chez toi. Je me sens mieux. Je n'ai presque pas quitté ma chambre. Je sais qu'ils nous interdisent de nous revoir. Je sais que je n'ai pas le droit de te contacter. Mais il faut que tu voies ça, c'est important. S'il te plaît, laisse tomber ce que tu es en train de faire et regarde.

Sarah

J'adore ce passage : « Laisse tomber ce que tu es en train de faire. » C'est du Sarah tout craché. Comme si je n'avais pas passé les quinze derniers jours immobilisé sur un lit d'hôpital, uniquement occupé à me demander quand la douleur s'en irait.

En bas du message, il y a un mot de passe : LECORBEAU.

Je ne suis pas fan de ses mots de passe. Après « La chute de la maison Usher », « Le corbeau » ! On dirait qu'elle fait tout pour rendre les choses encore plus effrayantes. Elles le sont assez comme ça, sans qu'on ait besoin de réveiller Edgar Poe et ses contes horrifiques d'entre les morts. Elle savait que je trouverais son message au milieu de la nuit, à l'heure où mes parents dorment et où chaque ombre me semble être une menace.

« Une fois, sur le minuit lugubre,
pendant que je méditais, faible et fatigué,
sur maint précieux et curieux volume
d'une doctrine oubliée,
pendant que je donnais de la tête,
presque assoupi, soudain il se fit
un tapotement,
comme de quelqu'un frappant doucement,
frappant à la porte de ma chambre. (...) »

Est-ce qu'elle connaît au moins ce poème ou est-ce qu'elle utilise le titre juste parce qu'il sonne bien ?

Ce qui s'est passé il y a deux semaines a tout changé. Je suis sûr que le nouveau film de Sarah concerne cette fameuse nuit. C'est pourquoi j'écris ces lignes, parce que la peur qui ne me quitte pas est en train de tourner à l'angoisse. J'ai la pénible impression que quelqu'un me surveille en permanence, que quelqu'un ou quelque chose va ouvrir la porte grinçante de ma chambre et m'emporter dans la nuit glaciale. Je crois que j'ai atteint mes limites.

Est-ce que j'ai eu raison d'ouvrir ce mail? Maintenant, il n'est plus temps d'hésiter. Quand on est dedans, on est dedans. Quand on est pris, on est pris.

Je dois regarder ce qu'elle m'envoie.

Je dois le regarder tout de suite.

sarahfincher.fr
Mot de passe :
LECORBEAU

Mardi 14 septembre, 9h00

Cette nuit, j'ai vraiment flippé. En regardant la vidéo, j'ai vécu le deuxième pur moment de terreur de ma vie.

Le premier, c'était lors de l'accident.

À quoi joue Sarah en m'envoyant ces images?

J'ai plus d'une fois connu la peur — en fait, j'ai presque tout le temps peur. Il y a un aveugle assis devant le bar L'Arc-en-Ciel, et, quand je passe, il me suit de son regard mort; ça me fait peur. À la maison, j'entends l'escalier craquer la nuit, lorsque tout est silencieux, et j'appelle, mais personne ne répond; ça me fait peur. La chose tapie sous mon lit, Gladys et son fusil de chasse, la forêt, la nuit, tout cela me fait peur et ne cesse de tourner dans ma tête, comme du linge dans le tambour d'une machine à laver.

Mais regarder cette vidéo était d'un autre ordre. Je n'ai même pas pu le mettre par écrit. J'ai allumé toutes les lumières que je pouvais atteindre. J'ai branché la radio et écouté la chaîne religieuse jusqu'au moment où il a été question de combats contre le démon, ce qui a encore attisé ma peur.

Si la vidéo m'a effrayé à ce point, c'est parce qu'elle m'a ramené à cette terrible nuit. Je n'en avais gardé en mémoire que des fragments. Maintenant, je me souviens. Je me souviens de ce que j'ai vu, de ce qui a provoqué ma chute. C'était là, dans l'œil de la caméra.

Ça me regardait.

Ça n'arrête pas de me regarder.

Mardi 14 septembre, 10 h 15

Je me revois à l'hôpital. Je me rappelle ce que j'ai éprouvé en reprenant conscience.

L'instant d'avant, je tombais. Puis j'ai vu le visage de Sarah penchée sur moi dans la pénombre, mais je n'entendais pas ce qu'elle disait. J'avais l'impression que ma jambe avait explosé.

J'ai perdu connaissance. Quand j'ai rouvert les yeux, je m'attendais à découvrir le plafond de ma chambre, à sentir l'odeur du café montant de la cuisine. Ma tête a roulé sur le côté, et mes parents étaient assis là, les yeux rougis par le manque de sommeil.

Je me souviens avoir dit :

— Qu'est-ce qui se passe ?

Ma mère a sauté sur ses pieds en criant :

— Ryan ! Va chercher l'infirmière, Paul ! Vite !

Mon père m'a souri, a ouvert la porte et a disparu dans le couloir. J'ai entendu sa voix étouffée appelant une infirmière. Maman s'est approchée, elle m'a pris la main. J'ai demandé :

— Où sommes-nous ?

– Tu as eu un accident, mais tu es réveillé, maintenant. Tu es réveillé et tout ira bien.

– J'ai dormi combien de temps?

– L'infirmière va appeler le docteur, il veut te parler. Ne te rendors pas. Reste éveillé jusqu'à ce que ton père revienne avec l'infirmière, d'accord?

Elle a serré ma main très fort, comme si ça pouvait m'empêcher de me rendormir.

À ce moment-là, je n'avais aucun souvenir de ce qui m'était arrivé. À peine des bribes d'images, rien de net.

Quand le docteur est entré, je lui ai demandé si je pouvais utiliser les toilettes. Il m'a répondu que si j'avais envie de faire pipi, je n'avais pas besoin de me lever, on avait installé ce qu'il fallait.

– J'ai dormi combien de temps?

– D'après votre feuille d'admission, vous étiez sans réaction quand on vous a retrouvé avant-hier, vers une heure du matin. Vous êtes donc resté endormi – ou plutôt inconscient – pendant environ cinquante-cinq heures.

– Vous voulez dire que j'étais dans le coma?

– Si vous préférez dramatiser, alors, oui, vous étiez dans le coma. Vous avez fait une sacrée chute. Vous avez de la chance d'être encore vivant pour en parler.

– Pourquoi je ne peux pas bouger la jambe?

– Parce qu'on l'a immobilisée dans une « Grosse Bertha », un plâtre particulièrement épais. Je crains que vous ne puissiez remarcher de sitôt.

Je recommençais à somnoler, et ma mère m'a secoué en criant. Je me suis efforcé de rester éveillé parce que j'avais mal à la tête et que ses cris aggravaient ma migraine.

Finalement, on m'a débarrassé des tuyaux de perfusion (y compris celui qui me permettait d'aller aux toilettes sans quitter mon lit). J'ai pu me déplacer en fauteuil roulant, et avoir des conversations avec mes parents. Au début, c'était bien, tant ils étaient heureux de me voir en vie. Puis je les ai interrogés sur Sarah. Ils ont pris l'un et l'autre une grande inspiration et m'ont fixé d'un air grave.

— Il n'est pas question que tu revoies cette fille, a dit mon père.

— Mais c'est ma meilleure amie! ai-je protesté.

Au regard que maman a posé sur moi, j'ai presque pu l'entendre penser: « Une meilleure amie qui a failli te tuer! »

— Tu devras te faire d'autres amis, a repris mon père. Je suis sérieux, Ryan. Si vous vous revoyez, on vendra la maison et on ira habiter ailleurs. Nous ne le souhaitons pas, mais nous le ferons s'il le faut.

— Qu'est-ce que tu dis?

— On te dit que tu ne dois plus avoir aucun contact avec Sarah, a insisté maman. Pas de mails, pas de coups de téléphone, rien. Et aucune visite lorsque tu seras de retour à la maison. Ses parents sont de notre avis. Ça vaudra mieux.

— Ça vaudra mieux pour qui?

— Tu es parti dans les bois en pleine nuit; tu t'es introduit dans une propriété privée, a asséné mon père.

Il parlait plus que d'ordinaire et, pour une fois, j'aurais préféré qu'il se taise.

– Tu as fait une chute qui aurait pu être mortelle. Tenir cette fille à distance me paraît la meilleure solution pour tout le monde, toi le premier.

– Ce n'est pas sa faute. Ce coup-ci, c'est la mienne. C'était mon idée.

– Raison de plus pour que vous soyez séparés.

Mon père était lancé :

– Dès que vous êtes ensemble, vous devenez incontrôlables. On parle, en ville, de détruire cette drague. La police a passé une journée à en bloquer toutes les entrées de sorte que personne ne puisse plus s'y introduire. Cet engin est un piège.

Après cela, mes parents se sont tus. Ni l'un ni l'autre ne sont des gens bavards. Aucun des habitants de Skeleton Creek ne parle beaucoup, d'ailleurs. Je devais rester encore dix jours à l'hôpital. Je n'avais pas mon ordinateur, et on m'interdisait de téléphoner.

Que feraient-ils s'ils découvraient que Sarah et moi communiquons? Ils vendraient la maison; oui, c'est ce qu'ils feraient.

Pourtant, un spectre hante cette drague. Sarah l'a filmé deux fois. Je ne peux pas en parler à mes parents : qui confierait une chose pareille à ses parents?

Je ne sais vraiment pas quoi faire.

Mardi 14 septembre, 11h00

Maman vient de passer. L'ordinateur était éteint.

Elle ne se doute de rien.

Quoique...

Je me demande si elle n'est pas plus futée qu'il n'y paraît.

À l'hôpital, des policiers sont venus me poser des tas de questions. Ils voulaient savoir si j'avais essayé de voler quelque chose, qui était avec moi, pourquoi j'étais allé là-bas, si je me rappelais la façon dont c'était arrivé. Je ne leur ai rien dit de plus que ce qu'ils savaient déjà ou avaient pu déduire par eux-mêmes. J'étais monté dans la drague, j'étais tombé, j'avais eu une commotion et m'étais brisé la jambe. Qu'aurais-je pu raconter d'autre? Que je cherchais un fantôme et l'avais probablement trouvé? Ils m'auraient aussitôt envoyé dans un service psychiatrique, c'est certain.

En réalité, c'est par souci de ma santé mentale qu'on m'a gardé si longtemps à l'hôpital.

J'aurais pu rentrer chez moi une semaine plus
tôt, mais une psychiatre est passée me voir à
plusieurs reprises. Mon père était à son travail;
ma mère, elle, était là. Elle quittait la chambre
à chaque visite de la psychiatre. C'était une jolie
femme, assez classique, une rouquine à lunettes,
toujours munie d'un calepin. Elle m'a demandé si
je prenais de la drogue ou buvais de l'alcool, à
quoi j'aimais employer mon temps libre et quelles
étaient mes relations avec Sarah. Elle a souhaité
lire quelques-unes de mes histoires, et j'ai refusé
poliment. Je ne voulais pas qu'elle fouille dans
mes affaires. Qu'elle découvre mes élucubrations
paranoïaques à propos de Skeleton Creek n'aurait
pas été très bon pour moi.

Quand on m'a enfin autorisé à quitter l'hôpital, j'avais l'impression d'avoir subi une sorte
d'examen mental. Ça me rappelait les tests
qu'on passe à l'école, dont on ne sait jamais
si on les a réussis ou non parce qu'on ne nous
donne pas les résultats. Je me sentais vidé.

D'accord, je sais, j'évite un certain sujet. J'aligne des phrases, et je passe l'essentiel sous silence. Je crains que le mettre sur le papier le fasse exister. À moins que, une fois en mots, ça perde de son côté angoissant? Cette stratégie me réussit souvent. Raconter par écrit ce qui me fait peur — surtout si je le transpose dans une histoire — me donne le sentiment de l'avoir relégué sur la page, de l'avoir transformé en fiction. Et ce n'est plus aussi effrayant que dans la réalité.

Donc, voilà.

J'ai senti une présence, dans la drague, en haut de l'escalier, avant qu'elle soit captée par l'objectif de la caméra. J'étais en train d'examiner l'engrenage rouillé, je l'imaginais en mouvement, entraînant les énormes godets. J'avais de la rouille plein les mains. (Des jours plus tard, maman m'a demandé d'où venaient ces taches brunes sur mon pantalon, et je n'ai pas su quoi lui répondre. À présent je sais.)

Tout en m'essuyant les doigts, je me suis tourné vers la passerelle en planches qui conduit aux leviers où le vieux Joe Bush travaillait.

Une longue et large courroie est apparue dans le noir.

Sur la courroie était posée une main, une main au bout d'un bras, un bras attaché à un corps.

Et ce corps marchait vers moi.

Une faible lueur l'environnait.

Je le vois encore.

Je le vois.

C'était une silhouette. Toute noire, si bien que je n'ai pas distingué de visage. Mais le corps était massif.

Qui ou quoi que ce fût, c'était grand et lent. Ça avançait pas à pas, cramponné à la courroie, une jambe traînant derrière.

Je me souviens de trois autres choses. La première, c'est que je ne pouvais pas émettre un son. Était-ce quelque force obscure qui me serrait la gorge ou simplement la terreur? J'arrivais tout juste à respirer, et encore, péniblement.

La deuxième est que j'étais adossé à un garde-fou en bois, dans un angle qui dominait le vide. La troisième, plus terrible que les deux premières réunies, c'est que mes pires cauchemars étaient devenus réalité. Dans un recoin de mon esprit, je gardais la certitude qu'aucun des monstres que j'avais créés au fil des années dans mes histoires ne viendrait jamais m'emporter. Or, un monstre était là, et j'allais mourir de peur.

Quand il est arrivé assez près pour me toucher, j'ai vu remuer l'ombre de ses lèvres, sous le rebord de son large chapeau d'ouvrier. Et il m'a parlé :

« Le numéro 42 est à moi. Ne t'en approche pas. Je te surveille. »

Alors, d'un coup, j'ai retrouvé ma voix. J'ai hurlé, j'ai pressé mon dos contre le vieux garde-fou, et il a cédé. Les yeux levés, tandis que je tombais, je me suis aperçu que l'être qui s'était tenu devant moi était parti. Il avait disparu.

À moins qu'il n'ait jamais existé ?

La vidéo montrant une jambe qui marche et l'autre qui traîne derrière me le confirme : ce que j'ai vu cette nuit-là était bien réel. Je ne peux en parler qu'avec Sarah, sinon je serai bon pour la camisole de force. Avant l'accident, j'avais déjà l'impression que les gens m'observaient. Maintenant, c'est pire. Mes parents m'observent. Henry va arriver vendredi, et il m'observera. Gladys, avec son fusil de chasse, m'observe. Toute la ville m'observe. Le corbeau derrière ma fenêtre m'observe.

Et le spectre de la drague m'observe, j'en suis sûr.

Il attend.

Il me veut.

Mardi 14 septembre, début de soirée

Ma jambe me fait mal, ce soir. À cause du stress, je suppose. La douleur remonte le long de mon dos. J'ai gardé le lit toute la journée, ne me levant que pour aller aux toilettes. Mais je me suis calmé. Écrire m'a fait du bien. Mon récit ressemble à de la fiction, maintenant. Tant mieux.

Je m'aperçois que cette douleur sourde et persistante est dix fois plus pénible à supporter quand elle s'accompagne d'un sourd et persistant ennui. Sans mon ordinateur portable, je suis sûr que mes parents m'auraient déjà retrouvé mort de « monotonite aiguë ».

Je les imagine : « Notre petit Ryan est mort d'ennui. Nous aurions dû mieux nous occuper de lui. Pauvre garçon. »

Aussi, l'ordi reste gentiment posé sur mon plâtre. La psy a fourni à ma mère un logiciel qui lui permet de s'infiltrer dans mon disque dur, et de lire mes histoires, mes mails, tout. Ma mère a été gentille de me le raconter, car ce mouchard n'est pas difficile à désactiver. Les adultes font trop confiance à ce genre d'outils. Un adolescent

de quinze ans qui ne sait pas contourner la surveillance de ses parents sur un ordinateur est
probablement incapable de lacer ses chaussures.
Toutefois, il faut que je calcule bien mon coup.
Je ne peux pas lancer une recherche sur un sujet
bizarre ou écrire un message à Sarah sans prévoir
quelques minutes de sécurité. Effacer mes traces
prend du temps. Si j'entends les pas de ma mère
dans l'escalier alors que je viens d'envoyer un
mail, il est trop tard.

Non que je communique beaucoup avec Sarah.
Je ne sais pas quoi lui dire.

C'est difficile. Trop difficile.

Pour tuer l'ennui, j'ai fait des recherches sur
Internet à propos de la drague. Ce que nous avions
trouvé jusque-là avait peu d'intérêt. On espérait
dénicher des récits, les blogs des habitants de la
ville, des précisions sur les crânes, sur « L'irrégulier
de Skeleton Creek », des choses comme ça. On ne
découvrait que des bribes d'informations, rien qui
casse trois pattes à un canard.

J'ai de nouveau tenté toutes les approches
possibles, aujourd'hui, et le résultat est aussi

maigre. Au bout de trois heures, ne tombant que sur des impasses, j'ai relu mes notes, et mon regard a accroché le nom de la compagnie minière propriétaire de la drague : la New-Yorkaise Or et Argent. J'avais déjà tapé ce nom auparavant, mais sans conviction. J'ai recommencé avec davantage de ténacité.

La New-Yorkaise Or et Argent est dissoute depuis plus de vingt ans. Mais j'ai appris une chose concernant les dépôts de bilan : tous les registres sont encore consultables. J'ai trouvé un fichier de la compagnie dans des archives de la ville de New York. À l'intérieur, j'ai découvert un dossier intitulé « NYOA Rap. an. 80-85 ». NYOA était facile à décrypter. En cliquant sur le dossier, j'ai vu que « Rap. an. » signifiait « Rapport annuel ». « 80-85 » désignait évidemment les années.

Qualifier ce document d'ennuyeux serait très en dessous de la vérité. C'étaient 127 pages parfaitement assommantes. J'ai survolé les trente premières, bourrées de ratios, analyses de coûts et de bénéfices, fermetures de sites, primes et subprimes, actions, cotations en Bourse et autres fastidieux éléments liés à la vie d'une entreprise autrefois prospère. J'allais piquer du nez sur la page 31 quand j'ai pensé à sélectionner les termes qui m'intéressaient.

C'est ainsi que j'ai découvert page 81 et page 111 des passages qui m'ont rendu nerveux. Je les ai imprimés et vais les coller ci-dessous.

NYOA Rap. an., paragraphe 3, page 81

L'élément 42 situé à Skeleton Creek, Oregon, a subi une série de cambriolages dans les derniers jours de l'année 81. Affaire ici mentionnée à cause d'un procès intenté par un habitant, Mark Henderson. Le plaignant affirme avoir été attaqué pendant qu'il examinait la drague 42, au cours de la nuit du 09.12.81. À la suite de quoi il aurait souffert de graves contusions au cou et à la tête. L'affaire a été jugée le 11.12.81, accordant à la victime des dommages et intérêts. Les autorités locales n'ont pu fournir aucun renseignement sur un quelconque suspect. La drague 42 a été sécurisée. Envisager sa démolition ou son déplacement.

NYOA Rap. an., paragraphe 1, page 111

L'élément 42 situé à Skeleton Creek, Oregon, a été le cadre d'intrusions au cours de l'année 84. Trois jeunes gens ont prétendu avoir visité la drague à plusieurs reprises entre 6.84 et 9.84. Le dossier du tribunal porte les accusations d'entrée par effraction dans une propriété privée, vol d'outils et vandalisme. L'un des trois jeunes prétend qu'ils ont été menacés par quelqu'un qu'ils entendaient mais ne voyaient pas. Le service juridique préconise le déplacement ou la démolition de la drague 42. Décision approuvée. Démolition programmée le 04.11.85.

Au printemps 1985, la New-Yorkaise Or et Argent était poursuivie pour des raisons environnementales dans plusieurs États : Oregon, Washington, Alaska, Montana et Idaho. Ses dirigeants étaient sûrement trop occupés à organiser leur défense pour mettre en œuvre la démolition promise. En juin 1985, la compagnie s'est dissoute dans un océan de dettes et de procès. La drague de Skeleton Creek a été oubliée. Il n'y avait plus d'argent à en tirer.

Il est presque 21 heures. Papa et maman vont monter me dire bonsoir et vérifier que tout est en ordre. Ils examineront mon ordinateur.

Je sais ce qu'il me reste à faire.

J'ai recopié les passages des rapports annuels, joint les fichiers et imprimé mon mail.

Sarah,

Vite, avant que ma mère arrive! J'ai fait des recherches et trouvé le compte rendu d'une réunion de la New-Yorkaise Or et Argent dans les années 1980. Je t'envoie la copie de deux paragraphes (voir pièces jointes). Nous ne sommes pas les premiers à avoir vu des choses bizarres à la drague. Chaque fois que des gens s'en sont approchés, ils ont été blessés ou effrayés. N'y retourne pas. Attendons que je revienne en classe – d'ici un mois? Ils ne pourront pas nous empêcher de nous voir dans le hall, et on parlera enfin sans se cacher.

Autre détail: NYOA appelle la drague «l'élément 42». La nuit de l'accident, j'ai entendu un avertissement, sans doute le même que les jeunes dont il est question:

«Le numéro 42 est à moi. Ne t'en approche pas. Je te surveille.»

Et c'est lui que j'ai vu, j'ai vu le vieux Joe Bush. Ou alors, je suis devenu fou.

Seigneur ! Je n'aime pas écrire ce genre de choses au coucher du soleil. Réponds-moi. Dis-moi que tu vas bien. Mais pas avant demain matin. Je lirai et j'effacerai.

Ne te lance pas dans une aventure idiote !

Ryan

P.-S. : Henry arrive vendredi. Je me tiens sur mes gardes.

J'espère que Sarah trouvera mon mail avant ses parents.

Ce que je déteste, dans l'ère numérique, c'est que tout finit par disparaître. Comme si on écrivait des lettres qui s'évaporaient à mesure qu'on les lit. Voilà pourquoi je conserve des copies.

Le papier est un support qui dure.

Il est temps que je fasse le ménage avant que mes parents arrivent.

Mercredi 15 septembre, très tôt

Hier soir, maman m'a donné une plus forte dose de calmants, de ceux qu'on vous déconseille de prendre avant de conduire parce qu'ils vous rendent somnolent. Je me suis endormi en lisant « Au Dieu inconnu ». Steinbeck sait faire peur quand il veut, comme dans ce passage où Joseph Wayne écoute les bruits de la nuit jusqu'à en devenir fou.

Grande nouvelle : Sarah vient de m'envoyer un mail, que j'ai lu, imprimé et effacé.

Ryan,

Je suis contente que tu m'aies écrit. Je me demandais si tu oserais. J'aurais compris que tu ne le fasses pas.

J'ai l'impression qu'on est de meilleurs détectives quand on est séparés. Tu n'es pas le seul à avoir avancé. Moi aussi, j'ai fait une découverte. Je t'enverrai un mot de passe demain matin. Supprime-le dès que tu l'auras lu. Personne d'autre que toi ne doit avoir accès à mes vidéos.

Tu ne mets rien par écrit, hein ? Tes parents pourraient lire ton journal pendant que tu dors. C'est bien le genre d'indélicatesse que les parents s'autorisent quand ils soupçonnent leur fils d'être sur un coup. Tâche de ne pas écrire toute la journée !

J'ai réécouté la bande son de la nuit de l'accident ; la caméra n'a pas enregistré la voix. Elle devait être si basse que tu es le seul à l'avoir entendue. J'ai perçu des tapotements, mais pas de voix. La référence 42 signifie sans doute que tout ça a à voir avec la New-Yorkaise Or et Argent.

Ça donne le frisson, tu ne trouves pas ? Un frisson d'excitation ! On a mis le doigt sur quelque chose de très important, et on ira jusqu'au bout. Que ce soit un esprit, un spectre ou ce que tu voudras qui ait causé ta chute, on percera le mystère. S'il s'agit d'un *vrai* fantôme, qu'est-ce qu'on va faire ? Il faut que j'obtienne des images plus nettes, sinon personne ne nous croira.

Ces trucs que tu m'as envoyés, sur les gens qui sont allés à la drague, ça ne m'impressionne pas. Ils essayaient d'obtenir de l'argent ou de se donner des émotions fortes. Ce que nous entreprenons est différent. C'est une enquête sérieuse. Ne t'inquiète pas, je vais bien ; je suis calme et prudente. Au fait, j'ai interrogé l'aveugle, devant le bar : il m'a dit que Mark Henderson, le type qui a reçu des dommages et intérêts, a quitté la ville il y a longtemps, tout de suite après avoir touché son argent. Les jeunes n'étaient pas nommés, on n'en saura sûrement pas plus. On pourrait demander des renseignements à Gladys Carabine. Mais, celle-là, elle me rend nerveuse.

Ouvre ta messagerie demain matin vers 5 heures 30, avant que tes parents se réveillent. Surtout, efface tout. Mes parents ont branché un logiciel à mon ordinateur pour contrôler mes activités (je l'ai débranché). As-tu vérifié que ton ordinateur n'est pas piraté? C'est parfois difficile à détecter.

Comment va ta jambe?

N'écris rien.

Sarah

P.-S. : Un nouveau garde forestier est arrivé hier. Il vient de Missoula. Il restera au moins jusqu'à ce que la neige ait tout recouvert. Je vais peut-être l'interviewer. Ou peut-être pas.

Je n'ai jamais exigé de Sarah qu'elle cesse de filmer. Alors, qu'elle ne s'attende pas à ce que j'arrête d'écrire. Elle sait que je ne peux pas m'en empêcher. Mais elle a raison sur un point : si mes parents viennent fouiner dans ma chambre pendant mon sommeil, je dois faire en sorte qu'ils ne trouvent pas mes journaux. Celui-ci, je le glisse entre mon sommier et mon matelas, si bien que je peux l'attraper quand je veux. S'ils tentent de le prendre quand je dors, je m'en apercevrai, non?

Ça me rappelle « Le cœur révélateur ». Ce conte d'Edgar Poe ne fait que six pages, mais chacune d'elles vous hérisse les cheveux sur la tête. J'imagine mon père entrant sur la pointe des pieds, dans l'obscurité. Il marche si lentement qu'il lui faut une heure pour arriver jusqu'à mon lit, comme le fou de l'histoire. J'entends un bruit et je m'assieds. Mais il fait complètement noir et j'ai peur d'allumer la lampe ; je ne vois pas qui est là. Je reste assis un long moment, pétrifié. Je sais qu'il y a quelqu'un dans ma chambre, même si je ne distingue personne. Soudain, l'intrus attrape mon journal et s'enfuit.

Parfait. J'ai trouvé une nouvelle raison de me tourmenter la nuit.

Le goût de l'enquête : voilà ce qui nous met souvent dans de sales draps, Sarah et moi. Aussi, je m'inquiète chaque fois qu'elle utilise ce mot. Et son mail avait ce ton d'assurance qu'elle prend parfois, comme si elle était la seule à porter des lunettes spéciales qui lui donnent une vision à deux mètres devant elle, rien sur les

côtés ni derrière. Juste ces deux précieux mètres
qui lui permettent d'avancer.

Que va-t-elle m'envoyer ? Attendre est
insupportable.

Jeudi 16 septembre, très tôt

Hier soir, après le dîner, mes parents m'ont transporté sous le porche pour que je respire un peu. Il commence à faire frisquet en fin de journée. Mais j'aime l'air pur des montagnes. Il devient encore plus vivifiant avec le froid. Quand ils m'ont enfin ramené dans ma chambre, j'étais épuisé. Je me suis endormi tout de suite.

J'ai reçu le message et la vidéo de Sarah.

Ryan,

Ne mets pas ça par écrit et assure-toi de tout effacer. C'est TROP effrayant. Il faut qu'on en discute. Comment ? Comment échapper à la surveillance de tes parents ?

Je vais essayer d'interviewer le nouveau garde forestier avec ma caméra cachée. Il n'est pas net, ce type. L'autre jour, je l'ai croisé au centre commercial, et il évitait sans cesse mon regard. Il cache quelque chose, j'en suis sûre. Je ne pense pas qu'il soit au courant de ce qui est arrivé à la drague. Mais peut-être que si. C'est en forêt, sur son territoire. Quelqu'un a pu lui en parler.

Envoie-moi un message dès que tu auras visionné le film, si tu peux. Mes parents sont à la maison. Il faut que je te laisse.

Sarah

sarahfincher.fr
Mot de passe :
LEPUITSETLEPENDULE

Jeudi 16 septembre, le matin

Sarah pense donc que le fantôme – appelons-le comme ça – était déjà présent la première nuit où elle est allée à la drague. Quant à la jambe traînante, elle désigne le vieux Joe Bush, non ?

Au moins, Sarah ne me prend pas pour un fou. Peut-être parce qu'elle est aussi folle que moi. Quoi qu'il en soit, j'aime être avec elle.

C'est moi qui suis supposé être parano. Et c'est elle qui me demande de ne rien mettre par écrit.

Le pire, c'est d'être coincé ici. J'ignore tout de ce qui se passe à l'extérieur.

Je voudrais me rappeler les choses avec plus de précision. Je ne suis pourtant pas amnésique, hein ? Voyons : je peux donner mon nom, mon âge, mon adresse, mon numéro de téléphone. Quand maman entre dans ma chambre avec le tablier rouge que je lui ai offert, je la reconnais.

Je me souviens de ce jour – j'avais dix ans – où je dévalais la colline à vélo, une barre chocolatée à la main. Un chien s'est jeté sur moi ; j'ai freiné si brusquement que j'ai été projeté par-dessus le guidon. En me relevant, j'ai compris que ce n'était pas à moi que l'animal en voulait, mais à ma barre chocolatée. Elle était tombée sur la chaussée, et il n'en a fait qu'une bouchée.

Tous les détails de cette scène sont encore dans ma mémoire.

Je me revois aussi rentrer à la maison en claudiquant, les coudes et les genoux écorchés, la chemise toute sale. Maman n'était pas là, c'était donc une des rares occasions où je pouvais espérer de mon père un peu de compassion. Maman, elle, m'aurait dorloté. Avec papa, j'avais l'impression qu'il valait mieux ne pas arriver en gémissant, il aurait été trop inquiet.

Il m'a assis sur ses genoux et a tamponné mes blessures avec un torchon de cuisine humide.

— Maman ne sera pas contente s'il y a des taches de sang sur son torchon, ai-je fait remarquer.

— Ne t'inquiète pas, j'inventerai une explication.

Ça m'a fait sourire, même si je n'étais pas très convaincu :

— Qu'est-ce que tu lui diras ?

— Que je me suis bagarré avec un type et que j'ai saigné du nez.

— Elle ne te croira pas.

— Alors... que je me suis coupé en épluchant des légumes ?

— Tu ne sais préparer que les pâtes.

J'ai aimé ces instants avec papa, cette intimité. Ça n'arrivait pas souvent. Il a remonté la manche de son T-shirt pour se gratter l'épaule. J'ai remarqué un dessin sur sa peau.

— Qu'est-ce que c'est ?

— Un vieux tatouage. Tu l'as déjà vu.

— Tu me le montres encore ?

Il a hésité. Je n'avais aperçu ce tatouage que trois fois. Il n'était pas plus grand qu'une pièce de monnaie. Papa l'appelait son oiseau.

— Ça ne ressemble pas à un oiseau.

— Ce n'en est pas un. C'est moi qui l'appelle comme ça.

— Qu'est-ce que c'est, alors ?

— Rien.

Il a rabattu sa manche et m'a déposé par terre. Le moment de complicité était passé. Je me souviens m'être senti vaguement coupable.

Je n'ai rien oublié de ces petits événements survenus il y a des années. Et les circonstances de ma chute, cette nuit-là, m'échappent. Elles sont perdues dans une sorte de grisaille d'où ressortent des images dont j'aimerais autant ne pas me souvenir.

Quant aux bruits dont parle Sarah, ceux que l'on entendait les deux nuits, ça ne me surprend pas. On dirait que j'ai déjà vu tout ça à travers une vitre sale, et la vitre vient d'être nettoyée. Ce que je savais se précise, voilà tout.

Mais je crois qu'il y a autre chose. Dès que maman sera partie travailler, je me repasserai la deuxième vidéo. Cette fois, j'écouterai avec la plus grande attention.

Jeudi 16 septembre, 11 h 00

J'ai regardé la vidéo une dizaine de fois. Non, davantage. Et, oui, j'ai peut-être découvert quelque chose. Pas dans les images. Dans les sons. Surtout dans les sons. Je les ai écoutés encore et encore, comme on se repasse un vieux disque. Le bruit de cette jambe qui traîne, qui traîne. Puis ping ! un détail m'est revenu en mémoire.

Il faisait noir, et j'avais envie de rentrer à la maison. Je regardais l'engrenage rouillé, tâchant de l'imaginer en mouvement. Je serrais la torche électrique dans ma main moite. Je dirigeais le faisceau lumineux sur le mécanisme actionnant les chaînes. En me penchant, j'apercevais le plancher de bois, au niveau inférieur. Il y avait une marque ronde, de la taille d'une pièce de monnaie. J'avais déjà vu cette marque.

Un oiseau. Ça ressemblait à un oiseau.

Tout de suite après, je voyais le vieux Joe Bush avancer vers moi dans ses bottes mouillées, tirant sa jambe broyée derrière lui.

Qu'est-ce que ça signifie ?

Jeudi 16 septembre, 11h20

Sarah,

Ton message a réactivé ma mémoire. J'ai retrouvé un souvenir de cette fameuse nuit. Il y avait une marque, une sorte de symbole gravé dans le bois du plancher, à demi caché par la machinerie. Je l'ai reproduit et scanné pour te l'envoyer.

Ça ressemblait à ça :

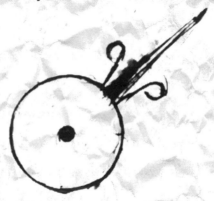

Ne t'excite pas trop, je n'ai aucune idée de ce que ça représente. Mais je suis quasi sûr que mon père porte ce motif tatoué sur une épaule : ça évoque un oiseau ou un œil d'où dépassent des espèces de plumes.

Je vais interroger papa. Ne panique pas! Je ne révélerai rien de ce qu'on a vu. Je ne le questionnerai que sur Joe Bush. On verra bien ce qu'il répondra. Papa pourrait avoir un lien avec l'affaire de la drague. Cette idée me fait frémir, mais, si c'est vrai, je n'y peux rien.

Peut-être ai-je mal vu, et mon imagination a fait le reste. Surtout, n'en parle à personne! J'ai parfois l'impression que mon imagination me joue des tours. Je me remémorais une vieille histoire à propos de ce tatouage avant de regarder la vidéo une dizaine de fois d'affilée. C'est alors que je me suis souvenu avoir vu le même symbole sur le plancher de la drague, la nuit de l'accident. Ces deux souvenirs sont-ils réels ou je les ai inventés? Je me pose souvent ce genre de questions, ces temps-ci. Beaucoup trop souvent.

Écoute, Sarah, je n'arriverai à rien tant que je n'aurai pas transposé tout ça sous forme d'histoire. La pression est trop forte, je sens que je vais craquer. Disons qu'il s'agit d'une histoire, d'accord? Je l'intitulerai *Le fantôme du vieux Joe Bush*. C'est bien ce dont il s'agit, non? Du spectre d'un homme tué par la drague. Il faut que je l'écrive, ça me fera moins peur.

C'est l'histoire d'un fantôme qui tenait un marteau dans une main et une lanterne dans l'autre. D'où venait-il? Pourquoi tapait-il sur le mécanisme avec son marteau? Une de ses jambes était en sang, et le sang laissait une trace derrière lui. J'aurais pu suivre cette trace, si j'avais voulu. Elle m'aurait mené au fond des eaux noires, vers un secret que des gens tentent de cacher.

Ça ferait un bon roman d'horreur si je travaillais ce scénario, tu ne trouves pas?

Je vais appeler mon père, lui demander de venir bavarder avec moi, et je noterai tout ce qu'il me dira. Avec ma jambe plâtrée, j'arriverai peut-être à le faire parler. Il se montre généralement compatissant quand il voit que j'ai mal. À moi de poser les bonnes questions.

J'ai l'impression que mes parents me surveillent de plus près encore qu'au moment de mon retour de l'hôpital. Ils me répètent sans arrêt que je ne dois avoir aucune relation avec toi. Ne m'envoie de message que si c'est important. Mieux vaut réduire nos échanges.

Sois prudente !

Ryan

P.-S. : Je me sens un peu mieux. Je crois que, demain, je serai capable de descendre l'escalier tout seul et d'aller m'asseoir dehors. En fin d'après-midi, l'air commence à être frisquet, comme je l'aime.

Jeudi 16 septembre, 18h00

J'ai interrogé mon père.

Je vais essayer de rapporter ses réponses telles que je les ai entendues.

Comme il fallait que je me souvienne de tout, mon cerveau a littéralement enregistré notre conversation.

J'ai commencé par:

— Tu te souviens du jour où tu m'as soigné après ma chute de bicyclette?

Il m'a regardé d'un drôle d'air. Il ne s'attendait pas à cette question. Mais il a répondu:

— Je m'en souviens. Ta mère a trouvé le torchon à la buanderie. Elle m'a demandé si j'avais tué une taupe.

— Tu ne m'avais pas raconté ça.

Il a haussé les épaules:

— Comment va ta jambe?

— Elle est engourdie jusqu'à midi. Puis elle s'échauffe un peu et ça va mieux.

— Henry arrive demain matin. On te portera sous le porche, que tu respires un peu d'air frais.

Tu pourras me regarder le battre aux cartes. Ça te dit?

J'ai acquiescé.

Et j'ai enchaîné :

— Tu as connu le vieux Joe Bush?

Il n'a pas réagi tout de suite. Il était assis au pied de mon lit, les yeux fixés sur mon plâtre. Puis il s'est levé et il a quitté la chambre. J'ai cru que c'était raté. Mais il est revenu avec une photo :

— Tiens, voilà Joe Bush.

Le cliché montrait un homme debout devant l'un des engrenages entraînant les chaînes de la drague. Je me suis tenu près d'un engrenage semblable la nuit de l'accident. Sur la photo, il n'était pas rouillé, mais noir et bien graissé. L'homme portait une salopette, des gants de travail et des lunettes. C'était un grand type pas du tout photogénique. Il avait l'expression mécontente de quelqu'un que l'on a dérangé et qui voudrait qu'on lui fiche la paix. Le photographe l'avait-il surpris au milieu d'une tâche importante?

– Il travaillait sur la drague, hein ?

Léger signe de tête :

– Il a été imprudent.

– Il a été tué, c'est ça ?

Désignant la photo, papa a repris :

– Les chaînes l'ont entraîné dans l'eau. On raconte qu'il s'est noyé parce que ses poches étaient remplies d'or volé. Joe Bush a coulé comme s'il avait eu les pieds en béton.

Un long silence a suivi. Papa a marché jusqu'à la fenêtre, est resté un instant en contemplation. Puis il est revenu vers moi. J'ai alors compris pourquoi il m'avait raconté tout ça :

– Garde cette photo, elle te servira d'avertissement. Le vieux Joe Bush a été entraîné par les chaînes à cause de son imprudence. Ta propre imprudence a failli te tuer. Que ça ne se reproduise pas.

Le message était clair. J'ai quand même décidé de poser une dernière question, au risque de lui paraître stupide :

– Joe Bush n'est jamais... revenu ?

À la lueur qui s'est allumée dans le regard de mon père, j'ai compris que j'allais avoir une réponse. Il aime les bonnes histoires. Il n'en écrit pas lui-même, mais il sait les raconter. Les légendes, le surnaturel, ça lui plaît. Nous sommes tous deux de bons conteurs, chacun à notre façon. J'ai de qui tenir.

— Une rumeur a circulé parmi les derniers ouvriers à avoir travaillé à la drague, a-t-il dit. Ils n'en parlaient qu'entre eux, mais il y a eu des fuites.

Papa a gratté son épaule, là où, sous sa chemise, il porte son tatouage.

— Ils prétendaient entendre le vieux Joe Bush marcher la nuit, traînant sa jambe brisée derrière lui. Ils l'entendaient taper sur les barres métalliques avec cette grosse clé anglaise qu'il trimballait partout pour entretenir les rouages. La plus grosse clé qu'on ait jamais vue. Bang! Bang! Bang! Puis ça cessait. Quelque chose tombait dans l'eau, quelque chose de lourd, un outil ou une pièce de rechange. Personne n'osait aller voir, dans le noir, s'il manquait du matériel. Ils pensaient que Joe Bush revenait de l'endroit où il s'était noyé, sous la drague, pour réclamer son bien. Seulement, il ne le trouvait pas.

— Pour réclamer quoi?

— Son or perdu, bien sûr. Qu'est-ce que ça pourrait être d'autre?

Papa a ri en ajoutant que ce n'était qu'une histoire. Et il s'est dirigé vers la porte.

— As-tu parlé à Sarah? a-t-il demandé.

Son attaque m'a pris par surprise:

— Non.

Techniquement, c'est la vérité. Nous n'avons pas « parlé ». Je me suis tout de même senti mal à l'aise. Mon père m'a déjà piégé pour des mensonges moins graves.

— Continue comme ça.

Et il est sorti.

Jeudi 16 septembre, 21h00

Henry arrive de New York demain matin.
On ne l'a pas vu depuis l'automne dernier, et
j'ai hâte de discuter avec lui. À chacun de ses
séjours, il loge dans la chambre d'amis, au rez-
de-chaussée. C'est le meilleur copain de mon
père. Ils pêchent à la mouche, font du vélo,
jouent aux cartes et rient beaucoup. Papa ne rit
pas tant, d'habitude ; quand Henry est là, on
remarque la différence.

J'aime bien Henry, parce qu'il est bavard.
C'est même difficile de le faire taire. On est plutôt silencieux, dans le coin ; lui, il est habitué
au brouhaha de la grande ville. Le bruit de sa
propre voix lui procure sans doute l'arrière-fond
sonore dont il a besoin.

Henry porte en toutes circonstances des
bretelles arc-en-ciel sur une chemise blanche ;
on le voit donc arriver de loin. Il a d'énormes
rouflaquettes comme Elvis Presley dans les
années 1970. Il organise d'extravagantes parties de poker. Jouer avec Henry n'est pas de
tout repos, car il invente des gages inattendus

pour ceux qui perdent la main. Il leur faut par exemple tenir les cartes avec des gants de cuisine. Ou enfiler une combinaison de plongée, masque compris. Sans oublier les perruques ridicules, les farces au téléphone ou les blagues idiotes à débiter en imitant des personnages de dessins animés. Au cours de ces parties, peu d'argent change de mains, mais tout le monde se tient les côtes, même mon père.

Le passé de Henry à Skeleton Creek n'est pas simple. À l'époque où la drague creusait encore le sol de la forêt, Henry venait souvent, car il travaillait pour la New-Yorkaise Or et Argent. Il était responsable de ce que je sais à présent être les éléments 42, 43 et 44, les dragues implantées dans les États de l'Ouest. Il devait donc effectuer des visites régulières pour évaluer le rendement, embaucher ou licencier des ouvriers, relever le tracé des dragues, vérifier leur fonctionnement, superviser l'emballage et l'expédition de l'or. Il était alors un jeune diplômé pressé de se faire une place dans la société. Il a beaucoup changé au fil des années.

J'espère qu'il pourra m'aider.

Henry est né et a été élevé dans la grande ville, mais je crois que, dès le début, il a été marqué par ses séjours à Skeleton Creek. C'est probablement ce qui est arrivé à pas mal de gens venus de New York. Ils visitent le parc de Yellowstone, le Montana ou Sun Valley et, quand ils retournent chez eux, ils s'aperçoivent que les gratte-ciel ne sont pas les montagnes, que cent taxis ne valent pas cent vaches et que le métro n'est pas un cheval.

Je crois aussi que Henry se sentait coupable de travailler pour une compagnie qui défonçait la terre, s'emparait de ses richesses et laissait les lieux exsangues. Les gens d'ici l'aiment bien, surtout mon père, et personne ne semble lui en vouloir. Sans doute parce que Henry est sincèrement attaché à Skeleton Creek et déteste l'état dans lequel la compagnie a laissé la région. Peut-être accomplit-il une sorte de pénitence pour ses erreurs de jeunesse. Il revient chaque année, passant toutes ses vacances dans un trou perdu peuplé d'habitants sans avenir. On peut lui en être reconnaissant, je suppose.

Sa visite sera plus intéressante que les précédentes. Chaque automne, il reste ici entre une et trois semaines, selon la durée du congé qu'il a obtenu. Avant, je le harcelais de questions sur New York ou sur les nouveaux gages qu'il avait imaginés. Je ne l'ai jamais interrogé sur la drague ; d'ailleurs, mon père détourne la conversation dès que le sujet est abordé.

Cette fois, je prendrai Henry à part et je le passerai sur le gril.

Jeudi 16 septembre, 22 h 00

    Sarah m'a envoyé un nouveau mot de passe. Le deuxième de la journée. Elle est trop imprudente. J'ai vu son mail, mais je vais attendre encore une heure ou deux pour être sûr que mes parents dorment avant de visionner le film. Ces images sont déjà assez difficiles à regarder sans que s'y ajoute la peur d'entendre mon père ou ma mère frapper à ma porte.

    Je me demande ce que Sarah a découvert.

Jeudi 16 septembre, 23h12

J'ai eu chaud. J'ai eu juste le temps de cacher mon journal. Si j'avais été au beau milieu d'une phrase, j'aurais sans doute été pris.

Mes parents deviennent trop curieux. Ils passent sans arrêt dans ma chambre, posent des tas de questions. Ils ne cessent de me cuisiner à propos de Sarah : lui ai-je parlé ? L'ai-je vue ? Est-ce que je sais qu'elle passe en voiture au beau milieu de la nuit ?

Ils sont entrés tous les deux au moment où je terminais le paragraphe précédent.

Papa a dit :

– Ne crois pas qu'on va relâcher notre surveillance pendant le séjour de Henry. Tu es resté au lit assez longtemps. Je veux te voir dès demain en bas ou sous le porche.

Maman a ajouté :

– Tu as besoin de prendre l'air.

Papa a continué :

– Laisse-moi jeter un coup d'œil à cet ordinateur.

Par chance, Sarah ne m'avait rien envoyé depuis une heure. J'avais déjà noté le mot de passe qu'elle m'indiquait dans son mail précédent, que j'avais supprimé. J'ai les nerfs en pelote et je suis exténué. Je dois m'endormir tard et me réveiller très tôt pour communiquer avec Sarah sans être découvert. À ce rythme-là, je ne vais pas tenir longtemps.

Mais je ne peux ignorer le dernier mot de passe. AMONTILLADO.

« La barrique d'amontillado » est un terrible récit de trahison et de vengeance. Je suis sûr que Sarah ne l'a jamais lu. Fortunato, le héros, est capturé, enchaîné, emmuré vivant. Ce n'est pas la nouvelle d'Edgar Poe que je préfère. Peut-être que, si je lui raconte l'histoire, Sarah cessera de choisir des mots de passe aussi sinistres.

Demain va être une journée chargée. Je ferais mieux de visionner le film ce soir, même si j'ai du mal à garder les yeux ouverts.

sarahfincher.fr
Mot de passe :
AMONTILLADO

Jeudi 16 septembre, 23h58

Que disait Sarah?

« On a une société secrète, la drague, la New-Yorkaise Or et Argent, le vieux Joe Bush. Je pense qu'ils sont tous connectés. »

Sauf qu'elle oublie deux éléments dans sa liste. Elle. Et moi.

Et maintenant, ce nouveau garde forestier.

Pourquoi a-t-il demandé à Sarah si on avait vu quelqu'un à la drague?

Que sait-il?

Autrement dit : qu'est-ce qu'on ne sait pas?

Il faut que je dorme.

Si je peux.

Vendredi 17 septembre, 7h10

J'ai la désagréable impression que quelqu'un s'est introduit dans ma chambre cette nuit. Je me suis réveillé, mais j'avais trop peur pour ouvrir un œil. D'ailleurs, il faisait noir. Je n'aurais rien vu. J'ai passé la main sous mon matelas, mon journal était là. Il ne semblait pas avoir bougé.

Je deviens complètement parano.

Depuis une heure, allongé dans mon lit, je regarde la photo que mon père m'a donnée. Je me répète son avertissement : « Le vieux Joe Bush a été entraîné par les chaînes à cause de son imprudence. Ta propre imprudence a failli te tuer. Que ça ne se reproduise pas. »

Après soixante et une minutes à observer la photo, j'en arrive à la conclusion que la mise en garde de mon père est stupide. L'imprudence n'est certes pas une vertu. Mais, pour un jeune de mon âge, elle est inévitable. D'ailleurs, il n'y a pas plus ennuyeux que les gens trop prudents. Je connais une fille, au lycée, qui refuse de boire l'eau du robinet, de manger à la cafétéria. Elle a un papier du médecin qui la dispense de gymnastique. Elle n'a jamais une seule réaction spontanée.

Le vieux Joe Bush n'était sûrement pas un type imprudent. Si je devais le qualifier d'après sa photo, je dirais plutôt qu'il a l'air résolu. À mon avis, on l'a poussé. C'est un coup en traître qui a tué Joe Bush, pas son imprudence.

Il était tard quand j'ai lancé la vidéo de Sarah, hier. J'en ai rêvé. Si bien que, à mon réveil, je n'étais plus certain de l'avoir regardée. Dans mon rêve, Daryl Bonner, le nouveau garde forestier, et Gladys Morgan, la bibliothécaire, marchaient dans les bois. Gladys portait son fusil de chasse. Soudain, le vieux Joe Bush surgissait d'un buisson et grondait :

« Le numéro 42 est à moi. Ne t'en approche pas. Je te surveille. »

Gladys tirait en l'air, et Joe Bush essayait de s'enfuir, de regagner la drague en traînant sa jambe blessée. Gladys riait, riait. Mais Daryl

Bonner aidait Joe Bush à regagner l'eau noire et à s'y enfoncer. Dans mon rêve, la mare ressemblait à un puits de goudron.

Les rêves ont généralement une signification. Je rêve beaucoup, et certains de mes rêves me laissent la curieuse impression qu'un détail révélateur s'y dissimule. C'est le cas de celui-ci. Quelque chose se cache dans la noirceur visqueuse du puits de goudron, j'en suis sûr.

Gladys est sans importance. Depuis qu'elle a pointé un fusil sur moi, elle apparaît souvent dans mes rêves. Elle fait partie du décor; elle est là, c'est tout.

Mais Bonner? Il est nouveau en ville. Et il aidait Joe Bush à retourner dans l'eau — dans le goudron. Pourquoi les ai-je réunis en rêve? Mon inconscient a dû noter dans la vidéo ou sur la photo un détail qui a échappé à mon attention.

Une heure de contemplation du cliché que mon père m'a donné ne m'a pas aidé à y voir plus clair. Je vais prendre le risque de visionner encore une fois la vidéo, tout en gardant

la photo à portée de main. Il est presque
7 heures 30. Maman vient habituellement
entre 7 heures 30 et 8 heures.

Je dois faire vite.

Vendredi 17 septembre, 7h36

Maman n'est pas encore montée, et j'ai eu le temps de repasser la vidéo. J'ai scanné la photo du vieux Joe Bush pour l'envoyer à Sarah. C'est risqué. Si ses parents ouvrent sa boîte mail avant elle, ils sauront que ça vient de moi. Même si j'ai utilisé une messagerie où mon nom n'apparaît pas et n'ai tapé qu'un bref commentaire :

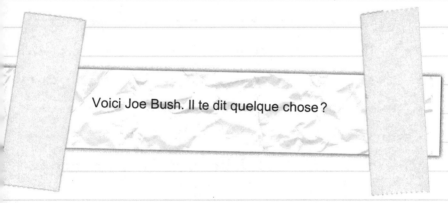

Voici Joe Bush. Il te dit quelque chose ?

Et je n'ai pas signé.

Je crois savoir pourquoi Daryl Bonner et Joe Bush apparaissaient ensemble dans mon rêve : ils se ressemblent. Le cliché n'est pas très net, mais ils ont la même forme de visage, le même nez, le même front.

Oui, leur ressemblance est troublante...

Vendredi 17 septembre, 8h00

Maman m'a monté mon petit déjeuner et elle est repartie aussitôt. Par miracle, elle n'a pas vérifié mon ordinateur. J'avais oublié d'effacer mon dernier message... À chaque jour qui passe, j'ai l'impression d'être sur le point de tout perdre, et surtout ma meilleure amie. Quand mes parents déclarent qu'ils vendront la maison et qu'on déménagera s'ils me surprennent à communiquer avec Sarah, ce n'est pas une menace en l'air. Ils ignorent combien de mails nous avons échangés et ce que nous tramons dans leur dos; sinon, ils boucleraient les bagages et m'emmèneraient loin d'ici dès aujourd'hui.

Je n'ai pas droit à l'erreur. Ce qui est en jeu est trop grave.

Je voudrais tout de même essayer quelque chose, par curiosité. Ce n'est pas très prudent, mais cette idée me trotte dans la tête depuis un moment.

Mon plan est le suivant:

Je vais appeler le poste du garde forestier. Il est tôt, Bonner ne sera sans doute pas encore parti dans les bois. Quand il décrochera, je demanderai à parler à Joe Bush. Je suis curieux de savoir comment il réagira.

Les numéros d'appel s'affichent peut-être sur son téléphone? Tant pis, je vais tenter le coup. Si je me fais coincer, je jouerai les imbéciles et prétendrai que c'était une blague.

Vendredi 17 septembre, 8 h 10

J'ai appelé Daryl Bonner.

Lui : « Poste forestier de Skeleton Creek, bonjour. »

Moi : « Pourrais-je parler à Joe Bush, s'il vous plaît ? »

Lui : « Qui est à l'appareil ? Pourquoi demandez-vous Joe Bush ? »

Silence.

Lui : « C'est Sarah Fincher qui vous a parlé de lui ? »

Silence.

Lui : « Répondez ! Pourquoi demandez-vous Joe Bush ? »

J'ai raccroché.

Et je m'interroge :

Qu'est-ce qui lui faisait si peur ?

Vendredi 17 septembre, 9 h 15

Je viens de vivre des moments pénibles.
Je n'avais pas raccroché depuis deux minutes que
le téléphone sonnait. J'ai pris l'appel, mais mon
père a décroché l'autre poste en même temps que
moi. Il ne supporte pas le bruit de la sonnerie,
ce qui fait de lui un virtuose du décrochage de
combiné. À cette heure-là, il aurait dû être sur
le seuil de la porte, en route pour son travail ;
j'avais oublié qu'il était en vacances.

Pas de chance.

Papa : « Allô ? »

Bonner : « Ici Daryl Bonner, au poste forestier. C'est vous qui venez d'appeler ? »

Papa : « Non. C'est peut-être mon fils. »

Bonner : « S'agit-il du garçon qui a eu un
accident à la drague ? »

Papa : « Ça se pourrait. »

Bonner : « Il faut croire qu'il s'ennuie.
Il vient de passer un coup de fil... Appelons ça
une blague. Il a demandé à parler à un certain Joe Bush ou je ne sais qui. Quant à la

fille impliquée dans l'accident, Sarah Fincher, elle semble s'intéresser à la drague, elle aussi. Je vous suggère de les garder tous les deux à l'œil. La drague est dangereuse, m'a-t-on dit aux services régionaux. Personne ne doit s'en approcher. »

Papa: « Je vais avoir une petite conversation avec mon fils. »

Bonner: « Merci. »

J'ai raccroché aussitôt. J'ai entendu les pas de mon père dans l'escalier. Après l'interview de Sarah, ce que j'ai tenté était plus qu'imprudent. Quel idiot j'ai été! Les points étaient trop faciles à relier: Sarah, Bonner, moi. Autant clouer tout de suite un panneau « À vendre » sur la maison...

J'ai toujours eu de l'affection pour Henry, mais, quand la sonnette de la porte d'entrée a retenti et que j'ai entendu papa redescendre, je l'ai aimé dix fois plus. L'arrivée de notre visiteur de l'automne allait m'éviter les foudres de mon père. Ses colères montent d'un coup, comme le lait qui bout. Si je me tiens hors de portée le temps qu'il se calme, les conséquences sont toujours moins sévères. Avec un peu de chance, quand il surgirait dans ma chambre en compagnie de Henry, il aurait oublié l'appel de Bonner.

— Voilà ce qui s'appelle un plâtre!

Tels ont été les premiers mots de Henry quand il est entré avec papa. Tous deux étaient souriants, et j'ai poussé un soupir de soulagement.

— Tu me le donneras, quand tu n'en auras plus besoin? a continué Henry. J'aurais du succès, avec ça, au poker!

— On sera obligé de le couper pour me l'enlever. Tu ne l'auras qu'en deux morceaux.

— J'ai de l'excellent ruban adhésif. Ce sera parfait.

Il portait son chapeau de pêcheur et ses éternelles bretelles arc-en-ciel.

— Ton père doit aller voir le garde forestier. Je peux te tenir compagnie, pendant son absence?

— Avec plaisir.

Papa m'a demandé la photo de Joe Bush, et je la lui ai rendue. Il m'a jeté un regard qui signifiait clairement : « On n'en a pas fini, tous les deux, je vais revenir. » Et il a quitté la pièce. Si seulement je n'avais pas passé ce coup de fil ! J'ai l'impression d'avoir ouvert une boîte de vers et de les regarder s'enfuir dans tous les sens en se tortillant.

Quand la porte d'entrée a claqué, Henry s'est approché de moi :

— Tu peux descendre l'escalier ?

— Je pense que oui. Mais je préférerais attendre un peu ; je me sens toujours mieux l'après-midi.

— D'accord. Tu t'ennuies beaucoup ?

— Affreusement.

— Je m'en doutais.

— Tu vas rester combien de temps ?

— Une longue semaine à faire deux parties de poker par nuit, à pêcher sur la rivière et à profiter de la cuisine de ta mère ! Tu es trop jeune pour l'apprécier, mais Cynthia est la reine des bons petits plats. Les vieux célibataires dans mon genre aiment les bons petits plats, surtout quand ils vivent en ville. Ce soir, elle va nous préparer ses merveilleuses nouilles au gratin. Je ne pense qu'à ça depuis trois jours.

— Tu n'as qu'à te marier, ai-je plaisanté.

— Et renoncer au jeu, au linge sale et à mes douze petites amies?

— Tu n'as pas douze petites amies.

— Bien sûr que si.

— Menteur.

— Disons que j'ai eu douze petites amies. C'est pareil.

— Je parie qu'elles sont toutes mères de famille, et qu'elles t'ont oublié depuis des lustres.

— Tu ne devrais pas parler comme ça avec une jambe dans le plâtre. Tu ne pourras pas esquiver le seau d'eau froide que je vais te balancer à la figure.

— Tu n'oserais pas.

— Pas si sûr... Et tout à l'heure, je m'occuperai de ton déjeuner.

Au sourire en coin qu'il m'a adressé, j'ai craint une de ses blagues. J'ai imaginé les trucs dégoûtants qu'il pourrait ajouter à un plat surgelé ou tartiner dans un sandwich. Il n'en fera sans doute rien, mais, avec lui, on ne sait jamais ; ça me rend dingue.

On a parlé de l'accident. Apprendre que Sarah et moi n'avions plus le droit de nous voir l'a contrarié. Il aime bien Sarah, et il a promis d'intervenir auprès de mes parents. J'ai apprécié, mais je suis convaincu que, quoi qu'il dise, il ne les fera pas changer d'avis.

Voyant qu'il était d'excellente humeur, et ignorant combien de temps nous serions en tête à tête, j'ai décidé d'entamer mon interrogatoire :

— Pourquoi tu ne parles jamais de l'époque où tu travaillais pour la New-Yorkaise Or et Argent ?

— Ce n'est pas la meilleure période de ma vie.

— Ah ? Comment ça ?

Henry a enlevé son chapeau avec un petit rire embarrassé. Puis sa mine s'est assombrie, et j'ai regretté de lui avoir posé cette question.

— Étant donné les circonstances, autant que tu le saches. J'étais jeune et ambitieux, à cette époque, et j'ai commis beaucoup d'erreurs.

Je pourrais prétendre que je n'avais pas mesuré les conséquences. Ce serait un mensonge. Mais j'ai skeleton Creek dans la peau. C'est ce qui m'a sauvé.

— Tu as rencontré Joe Bush?

Henry m'a lancé un drôle de regard. Néanmoins, il a répondu:

— Bien sûr, plus d'une fois. C'était un rude travailleur. Tu sais qu'il est mort en tombant de la drague?

— Oui.

— Cet accident a marqué le début de la fin. Je suis parti peu après. Des tas d'hommes de loi rôdaient dans le coin. Ils me demandaient de faire des choses, et je m'y refusais.

— Quel genre de choses?

— C'est de rester au lit qui te rend aussi curieux?

— Quel genre de choses, Henry?

— Ils me demandaient de mentir. J'ai alors compris que je m'étais mal conduit depuis le début.

— As-tu entendu parler du retour de Joe Bush?

– Tu veux dire de son fantôme ?

– Hmmmm.

– Il y a en effet des histoires qui circulent sur le fantôme de Joe Bush. Des bêtises, ça ne tient pas debout.

– Je peux te poser encore une question ?

– Vas-y.

– La société du crâne, ça t'évoque quelque chose ?

– Enfin une question intéressante !

– Vraiment ?

– Particulièrement intéressante pour un étranger comme moi. Savais-tu que seuls des gens nés ici, ou ayant un parent né ici, pouvaient en être membres ?

– Non, je ne le savais pas.

– C'est pourtant vrai. Du moins, je le pense. Et je suis quasi sûr que la société du crâne a été instituée quand la drague était en activité.

– Qu'est-ce qui te fait dire ça ?

– Des bruits couraient à propos de réunions secrètes.

– Qu'est-ce qu'on y faisait ?

– Pour le découvrir, il aurait fallu que j'y assiste. Mais je suis un étranger. Un New-yorkais, en plus! J'ai beau aimer cet endroit, y revenir chaque année, je n'apprendrai rien d'autre sur la société du crâne que ce que je connais déjà, autant dire pas grand-chose.

J'hésitais à poser ma dernière question. J'ai fini par me décider :

– Papa était-il membre de cette société?

– Si j'avais le goût du pari, je miserais une bonne somme là-dessus. En vérité, je l'ignore. Nous parlons de tas de choses, mais nous n'abordons jamais ce sujet.

Sur ces mots, il m'a laissé pour aller défaire ses bagages, et j'ai retranscrit notre conversation.

J'ai hâte de mettre Sarah au courant.

Comment? En lui envoyant un mail?

Avec un adulte dans les parages, c'est risqué. Je ne pense pas que Henry préviendrait mes parents s'il me surprenait, mais rien ne me l'assure.

Vendredi 17 septembre, 10 h 15

Quand papa est rentré, le feu de sa colère s'était éteint, et il n'a fait qu'une brève allusion à mon coup de téléphone. Il ne m'a pas rendu la photo de Joe Bush, et je ne la lui ai pas réclamée.

— Je comprends que tu t'ennuies, m'a-t-il juste dit, mais laisse ce pauvre garde forestier tranquille. Il est nouveau, ici, et il a beaucoup à faire, comme nous tous. Trouve une autre occupation.

Comme nous tous? De quoi parlait-il? Maman travaille à la poste, comme d'habitude, et lui, il est en vacances.

Avec Henry, ils vont se lever tard, se faire des crêpes et du café fort, aller à la pêche et jouer aux cartes.

Je me demande comment mon père réagirait si on lui interdisait de voir Henry. Il ferait un scandale, j'en suis sûr.

Ils sont en bas, tous les deux, en train de compter leurs boîtes de mouches, de comparer leur matériel de pêche. La rivière de Skeleton

Creek se jette dans un cours d'eau plus large, où ils vont guetter la truite arc-en-ciel (une truite géante). C'est à une demi-heure d'ici, s'ils s'y rendent dans la vieille camionnette de mon père.

À leur retour, ils prépareront un en-cas et m'aideront à descendre sous le porche, où nous jouerons aux cartes en attendant maman.

Qu'est-ce que papa a bien pu dire à Bonner? Il ne s'est peut-être même pas rendu au poste forestier. Peut-être a-t-il seulement prétendu le faire et, au lieu de ça, il est allé parler aux parents de Sarah. Ou, pire, à un agent immobilier.

Il y a peut-être déjà un panneau « À vendre » planté dans notre cour.

Je déteste les agents immobiliers.

Vendredi 17 septembre, 10h45

Papa et Henry sont partis il y a un quart d'heure, et je me suis rendormi. J'ai d'abord cru rêver qu'un téléphone sonnait. Mais ça ne cessait pas et, à la quatrième sonnerie, j'ai tendu le bras et tâtonné à la recherche du combiné. C'était sans doute maman qui voulait savoir ce que je faisais. Elle a une sorte de sixième sens pour deviner que je suis seul à la maison. Elle appelle juste pour me recommander de me reposer, de manger et de ne pas allumer l'ordinateur.

J'ai répondu avec un « allô ? » mourant, espérant qu'elle m'épargnerait son habituel sermon. J'ai perçu alors un bruit léger. Qu'est-ce que c'était ? Un chuchotis de feuilles ? Un clapotis d'eau ? Difficile de le déterminer ; en tout cas, ça évoquait la nature. Et mon mystérieux correspondant a raccroché.

J'ai d'abord supposé que papa m'avait appelé pour s'assurer que je n'étais pas sorti. Mais, dans ce cas, pourquoi aurait-il coupé la communication ? J'ai vérifié le numéro et ne l'ai pas reconnu.

J'ai rappelé. Une sonnerie, deux, trois. Un répondeur s'est déclenché :

« Ici Daryl Bonner, du département Chasse et Pêche du Montana. Je suis actuellement en poste à Skeleton Creek, Oregon. Je serai de retour à Wind River le 3 novembre. Laissez-moi votre message. »

Pourquoi le garde forestier a-t-il appelé chez nous ? Voulait-il parler à papa ? A-t-il raccroché en entendant ma voix au lieu de la sienne ?

Je n'aurais jamais dû lui téléphoner en demandant Joe Bush.

Il va sans doute penser : « Ce garçon sait des choses qu'il devrait ignorer. »

Vendredi 17 septembre, 13 h 20

Je viens de passer trois heures à surfer sur le Net à la recherche de tout ce que je pourrais trouver sur Skeleton Creek, la drague et Joe Bush. Quelle frustration ! J'ai l'impression d'avoir déterré des ossements et que leur examen me livre à peine le dixième de ce que j'en attendais. Plus je creusais profond, plus le sol était dur, jusqu'à ce que je me heurte à un rocher.

Il faut que j'avertisse Sarah, mais j'hésite, de peur que mon père ait parlé à ses parents et qu'ils lui aient confisqué son ordinateur. Je les imagine, assis devant la table de la cuisine et avalant des jus de fruits en attendant que mon mail s'affiche. Le mail de la mort. Le mail qui me condamnerait à faire mes bagages.

Je ne peux pas courir ce risque.

Vendredi 17 septembre, 13 h 25

Apparemment, Sarah ne partage pas mes craintes, car elle vient de m'envoyer un message. Ses parents ne lui ont donc pas retiré son ordinateur. À moins — ce n'est pas impossible — qu'ils tentent de me piéger. Et si ce mail venait d'eux? Ou, pire encore, si mon père était avec eux, complice de ce traquenard? Ce serait un coup bas, mais je l'en crois capable.

J'ose penser que Henry m'en informerait. Seulement, comment s'y prendrait-il?

J'ai faim, et la fatigue me rend nerveux. Je deviens parano, c'est ridicule. On devrait faire une thérapie tous les trois, Sarah, le vieux Joe Bush et moi.

Pour être honnête, ce que j'ai reçu de Sarah n'est pas réellement un message, rien qu'une suite de lettres collées les unes aux autres:

DRJEKYLLETMRHYDE

Donc, elle est passée de l'univers d'Edgar Poe à celui de Robert Louis Stevenson. Ce n'est pas bête. Je me dis parfois que ses mots de passe ont une signification cachée. Ici, par exemple, insinue-t-elle que Daryl Bonner est le docteur Jekyll, et le fantôme de Joe Bush mister Hyde? À moins que Daryl Bonner soit les deux?

Ou mon père?

Mon père! Comment ai-je pu écrire une chose pareille? Ne suis-je pas moi-même Jekyll et Hyde, à balancer ainsi d'un côté à l'autre?

Il faut que je m'organise, au cas où papa et Henry reviendraient plus tôt. Je n'ai pas encore effacé les traces de mes deux heures de recherches sur le Net. Je n'ai pas supprimé le message de Sarah ni regardé sa nouvelle vidéo. J'ai beaucoup à faire tant que je suis seul à la maison.

D'abord, tout effacer. Puis, si j'en ai encore le temps, regarder le film.

sarahfincher.fr
Mot de passe :
DRJEKYLLETMRHYDE

Vendredi 17 septembre, 13 h 52

J'aurais dû commencer par regarder la vidéo ! Pourquoi suis-je même en train d'écrire ceci ? Parce que ça me calme. Voilà pourquoi j'écris. Ça me calme. Mon esprit est plus clair quand j'écris.

Je ne maîtrise pas les choses si je ne les mets pas sur le papier.

Récapitulons :

Sarah est retournée à la drague.

Daryl Bonner était là. Sarah pense qu'il l'attendait. Mais elle se fait peut-être des idées.

Elle a trouvé une astuce pour qu'il lui prête son téléphone portable et elle a composé le dernier numéro appelé.

C'était le nôtre.

Et quand j'ai rappelé ? Il avait sans doute mis l'appareil sur silencieux pendant qu'il suivait Sarah dans les bois.

Selon elle, mon père aurait prévenu Bonner qu'elle viendrait.

Mais comment l'a-t-il su ? Est-il venu dans ma chambre la nuit dernière ? Il a pu se glisser ici comme le fou dans « Le cœur révélateur ».

Je me souviens m'être réveillé avec l'impression qu'il y avait quelqu'un dans la pièce.

Si papa est au courant, pourquoi ne me met-il pas devant le fait accompli? Pourquoi la maison n'est-elle pas en vente? Pourquoi maman n'est-elle pas dans tous ses états? Parce qu'il ne lui a rien dit?

Ça fait beaucoup de questions. Et je ne peux répondre à aucune avec certitude. Il faut que je comprenne. Il faut que je mette les choses à plat.

Pour l'instant, quel est le principal problème? Papa. Que se passe-t-il avec papa?

J'ai vingt minutes devant moi. Peut-être quinze. Pas davantage. La partie de pêche se terminera quand Henry aura faim. Henry aime manger. Il voudra rentrer. À mon avis, ils seront de retour vers 14 heures 30, voire un peu plus tôt.

Je vais emporter mon journal pour continuer à écrire et clopiner jusqu'à la chambre de mes parents, de l'autre côté du palier.

J'y arriverai.

Je sais que mon père garde ses objets personnels dans le tiroir du haut de la commode. Maman m'a surpris à y fouiller, quand j'étais petit, et m'a flanqué une grosse tape sur la main en disant qu'on ne regardait pas dans les affaires des autres sans permission. Elle a ajouté que c'était une sorte de vol, ce que je n'ai pas bien compris.

Il est 14 heures 03 à ma montre. Je suis devant la porte. Je la laisserai ouverte pour les entendre s'ils arrivent. Henry parle toujours fort. J'aurai le temps de m'éclipser.

J'ai du mal à respirer. Je suis trop nerveux. Je me rappelle la claque sur ma main, la douleur cuisante. Le sang bat dans ma jambe, comme si maman me frappait à coups de balai pour me chasser. Flap, flap, flap !

J'ai posé mon journal ouvert sur la commode. Le plafonnier ne donne pas beaucoup de lumière. Juste une vague clarté jaune. Je respire de plus en plus mal. Vais-je avoir une crise d'asthme ? Possible. Il y a de la poussière, ici. Ma jambe me torture. Je ne suis pas encore capable de rester debout aussi longtemps.

C'est de la folie de continuer à écrire dans ces conditions, mais il le faut. Je n'aurai peut-être jamais d'autre occasion. Et je ne peux pas me fier à ma mémoire. Je dois écrire les choses.

Le tiroir est ouvert. Il y a des tas de trucs dedans. La boucle de ceinture incrustée de faux brillants qui appartenait à mon grand-père. Il est mort, maintenant. Des liasses de papiers. Des documents officiels, je suppose. Une boîte à cigares fermée par un crochet. Des anneaux, des stylos, des vieilles montres.

J'ai ouvert la boîte à cigares. Elle contient une dizaine de paires de boutons de manchette dans une enveloppe. Papa n'a jamais porté de boutons de manchette. Il y a aussi un badge, un paquet de cartes de crédit expirées et des permis divers. Rien de suspect. Aucune trace d'une quelconque société secrète.

14 h 12.

Il est temps que je sorte d'ici.

Pourquoi des boutons de manchette? Ils datent sans doute du mariage de mes parents. Ce sont ceux que portaient les invités? Ils sont identiques et paraissent neufs.

14 h 13.

En voulant prendre un des boutons de manchette, j'ai renversé la boîte, et le paquet de cartes s'est éparpillé. En les rassemblant, j'ai découvert un morceau de papier. Je l'ai déplié. Qu'est-ce que j'ai trouvé là? J'étouffe. Il faut que je parte tout de suite.

14 h 15.

Ils vont arriver, je le sens. J'ai traversé péniblement le palier jusqu'à ma chambre, traînant ma jambe derrière moi. Mon ordinateur scanne le papier pendant que j'écris. Vite!

14 h 18.

C'est fait. Vite, remettre l'original à sa place.

14 h 20.

Ils sont rentrés. Henry m'a appelé d'en bas:

– Je nous concocte un petit repas, champion! Prépare-toi à une surprise!

Je suis devant la commode, dans la lumière jaune de la chambre. Il va monter d'une seconde à l'autre. Qu'est-ce que je fais? J'ai refermé le tiroir, mais je ne peux plus bouger.

Quelqu'un vient.

Qu'est-ce que je fais?

Vendredi 17 septembre, 14h41

Je me suis calmé. Je ne tremble plus. Je respire de nouveau. J'ai entendu les pas de mon père sur le palier. Il a lancé :

— Je passe aux toilettes et je viens te voir. La pêche a été bonne. Meilleure que l'an dernier.

Je suis sorti de la chambre, j'ai fermé la porte et me suis planté devant la salle de bains. J'ai glissé mon journal dans le haut de mon plâtre et j'ai retenu mon souffle.

La porte s'est ouverte à la volée.

— Debout sur tes deux jambes ! Pas possible ! Tu as envie d'une partie de cartes, hein ?

En le voyant si heureux, je me suis senti coupable. S'il savait !

— Compte-moi dans l'équipe, ai-je dit. J'en ai assez de rester couché.

— Tu souffles comme si tu avais couru un marathon ! Je te propose de déjeuner au lit. Après quoi, on t'aidera à descendre sous le porche. Ça te va ?

— Ça me va.

Papa m'a raccompagné dans ma chambre. Puis Henry est monté avec un sandwich au bacon et au fromage, et une soupe de tomates. Il est facile de cacher n'importe quoi dans du cheddar fondu ou dans un bol de soupe. Mais il était tard et je mourais de faim. Henry n'aurait pas joué un sale tour à un garçon qui a une jambe dans le plâtre, quand même ?!

Vendredi 17 septembre, 14 h 47

Papa et Henry vont monter me chercher.

Tout à l'heure, j'ai scanné le papier que j'ai trouvé. Je vais l'imprimer et le coller sur cette page.

Ça fait froid dans le dos.

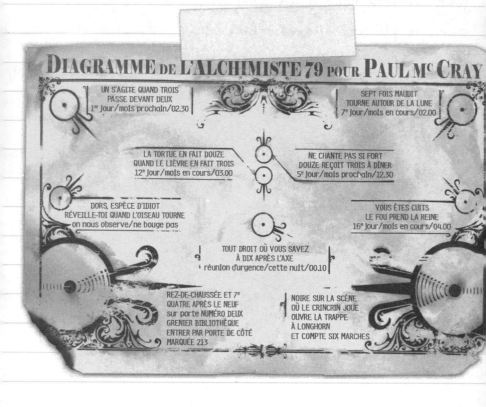

DIAGRAMME DE L'ALCHIMISTE 79 POUR PAUL McCRAY

UN S'AGITE QUAND TROIS
PASSE DEVANT DEUX
1er Jour/mois prochain/02.30

SEPT FOIS MAUDIT
TOURNE AUTOUR DE LA LUNE
7e Jour/mois en cours/02.00

LA TORTUE EN FAIT DOUZE
QUAND LE LIÈVRE EN FAIT TROIS
12e Jour/mois en cours/03.00

NE CHANTE PAS SI FORT
DOUZE REÇOIT TROIS À DÎNER
5e Jour/mois prochain/12.30

DORS, ESPÈCE D'IDIOT
RÉVEILLE-TOI QUAND L'OISEAU TOURNE
on nous observe/ne bouge pas

VOUS ÊTES CUITS
LE FOU PREND LA REINE
16e Jour/mois en cours/04.00

TOUT DROIT OÙ VOUS SAVEZ
À DIX APRÈS L'AXE
réunion d'urgence/cette nuit/00.10

REZ-DE-CHAUSSÉE ET 7e
QUATRE APRÈS LE NEUF
sur porte NUMÉRO DEUX
GRENIER BIBLIOTHÈQUE
ENTRER PAR PORTE DE CÔTÉ
MARQUÉE 213

NOIRE SUR LA SCÈNE
OÙ LE CRINCRIN JOUE
OUVRE LA TRAPPE
À LONGHORN
ET COMPTE SIX MARCHES

Vendredi 17 septembre, 19h30

Pas de doute, descendre une volée de marches avec une jambe plâtrée et des béquilles n'est pas une mince affaire.

Notre escalier est étroit, et des photos de famille encadrées sont accrochées de chaque côté. Je n'aurais pas dû insister pour me débrouiller seul. Heureusement que papa et Henry me surveillaient depuis le rez-de-chaussée : j'ai trébuché à mi-parcours et perdu l'équilibre. Je suis tombé dans les bras tendus de papa, le visage contre son T-shirt. Il sentait le poisson.

Mes mains ont balayé une dizaine de cadres au passage. Par miracle, aucun ne s'est décroché. Ils se sont balancés en se cognant les uns aux autres, mais ils ont tenu. On aurait dit qu'une rafale de vent s'était engouffrée dans la cage d'escalier.

Je dois dire pour ma défense que le plâtre est rigide et très lourd. Quand on est équipé d'un plâtre comme la « Grosse Bertha », on donnerait n'importe quoi pour plier la jambe. C'est aussi insupportable que de ne pas pouvoir se gratter quand ça vous démange. Ce qui me rappelle que ça me démange horriblement, encore une chose à ajouter à la liste de mes doléances.

Quand j'ai enfin atteint le porche, le plancher a craqué sous mon poids. Je me suis assis sur le canapé déchiré, la jambe soutenue par un tabouret, et j'ai aspiré avidement l'air automnal.

Notre porche est une sorte de salon d'extérieur. Quand on achète un nouveau meuble pour la maison, l'ancien se retrouve là. Au bout d'un an ou deux, il échoue dans un des nombreux vide-greniers auxquels maman participe.

J'ai cherché des yeux une cannette de jus de pomme ou un signe quelconque du passage de Sarah, mais je n'ai rien vu. Henry a proposé une partie de crapette. Pas très excitant à mon goût. J'ai tout de même joué. J'avais besoin de penser à autre chose qu'à une drague hantée et à une société secrète.

— Encore combien de temps ? a demandé Henry au bout d'un moment en faisant claquer sa bretelle arc-en-ciel.

– Combien de temps avant quoi ?

– Avant que tu sois débarrassé de ton plâtre ?

– Combien de temps, papa ?

– Sept semaines.

Henry a ouvert de grands yeux :

– Sept semaines ? Tu devras me l'envoyer par bateau.

– Tu es fou.

– Je parie que tu as des fourmis partout.

– Exact.

– Tu pourrais te gratter avec un cintre en fil de fer.

Henry est un redoutable joueur. Il a le chic pour distraire ses adversaires en lançant toutes sortes de remarques décousues. Il refuserait sûrement de l'admettre, mais ça fait partie de sa stratégie. Difficile de se concentrer avec quelqu'un qui vous parle d'envoyer un vieux plâtre à New York par bateau ! J'imaginais la réaction de ses douze petites amies en voyant l'objet accroché au mur de son appartement, tout en me représentant une colonie de fourmis en train de crapahuter sur ma jambe. J'ai demandé à papa d'aller me chercher un cintre. Je l'ai déplié et l'ai introduit dans le plâtre. Ça soulageait. On a joué pendant une bonne heure, en discutant de tout et de rien.

Finalement, maman est rentrée. Après nous avoir salués, elle est allée à la cuisine, et de violents bruits de tuyauterie ont résonné.

— Tu devrais aller l'aider, a dit Henry.

Henry aime beaucoup maman, et il sait que papa n'est pas très porté sur les tâches ménagères. Non qu'il ne soit pas capable de s'en débrouiller. Il manque de motivation, voilà tout.

— Vas-y, toi, a rétorqué mon père.

— Qu'est-ce qu'elle fait?

— Elle est sous l'évier, en train de décoincer le broyeur à ordures en tapant dessus avec son rouleau à pâtisserie. En général, c'est efficace.

— On croirait entendre la drague au temps où elle fonctionnait.

Quand maman s'est mise à injurier l'évier, papa a posé ses cartes en soupirant et s'est dirigé vers la cuisine d'une démarche lasse.

Ces chocs répétés m'ont fait penser à la nuit de l'accident. J'avais perçu le même genre de sons, à peine audibles, de métal cognant le métal.

J'ai décidé d'interroger Henry :

— Que veux-tu dire à propos de la drague ?

Il s'est renversé contre le dossier et s'est mis à se balancer sur sa chaise :

— La drague faisait un boucan d'enfer. Elle avalait des tonnes de rochers. La chaîne de godets était protégée par des planches épaisses, pour que rien ne dégringole à l'extérieur. Ça ressemblait à un long toboggan sur lequel glissaient d'énormes pierres. Avec l'écho, le vacarme était encore amplifié. Les ouvriers travaillaient par équipes de quatre, assez loin les uns des autres. L'un se tenait à un bout de la chaîne pour contrôler l'arrivée des godets. Il graissait les rouages et arrêtait le mécanisme si quelque chose se coinçait. Un deuxième, à l'autre extrémité, surveillait le creusement. Il y avait un homme à la cabine de contrôle, et un dernier — qu'on surnommait le vagabond –, chargé de résoudre les problèmes à mesure qu'ils se présentaient.

– Mais le bruit, il était si fort que ça?

– Les ouvriers ne pouvaient pas se parler, même en hurlant. Alors, ils utilisaient des signaux. Ils tapaient à coups de marteau ou de clé anglaise contre les poutrelles. Ils avaient un code, une sorte de morse, simple mais efficace.

Papa nous a rejoints, et on a changé de sujet. Je ne voulais pas qu'il nous surprenne à parler de la drague, et je crois que Henry ne le désirait pas davantage. Nous avons refait une partie de cartes en discutant de base-ball.

Puis maman est arrivée, apportant un gratin bien doré, et les dernières abeilles de la saison sont venues bourdonner autour de nos têtes.

Vendredi 17 septembre, 21h00

J'ai passé beaucoup de temps hors de ma chambre, aujourd'hui, et ça m'angoisse. Comme si des agents du FBI en avaient profité pour sonder mon matelas, fouiller les ressorts grinçants de mon sommier, pour prendre ma chambre en photo et y relever les empreintes. Et, pendant ce temps, grâce à un talkie-walkie caché dans la cuisine, maman se tenait prête à les prévenir si je remontais pour qu'ils aient le temps de sauter par la fenêtre. C'est idiot, je sais, mais c'est ce que je ressens.

À mon retour, rien ne révélait une quelconque intrusion. Avant de descendre, suivant les conseils de Sarah, j'avais choisi une cachette plus sûre pour mon journal. Je l'avais glissé entre les pages de mon gros agenda de l'an dernier, et fourré l'agenda lui-même dans une rangée de livres. Et je l'avais fermé avec du ruban adhésif. Apparemment, personne n'y a touché.

Mes parents vont me laisser tranquille quelque temps : Henry retient toute leur attention.

C'est le moment d'envoyer un mail à Sarah pour lui apprendre ce que j'ai trouvé dans le tiroir de papa.

Vendredi 17 septembre, 21h20

Elle a été plus rapide que moi. Son mail est court, et de la pire espèce qui soit :

J'y retourne cette nuit. Il le faut. Ne t'inquiète pas, je vais bien. Je reprends contact demain. Efface ce message ! S.

J'ai tout de suite répondu :

Sarah,

Tu as perdu la tête ? Ne t'approche pas de la drague ! Elle est sûrement surveillée. De plus, j'ai découvert un tas de raisons de s'en tenir éloignés, au cas où la présence d'un fantôme ne te semblerait pas une raison suffisante. J'ai fait une trouvaille dans la chambre de mon père. Que j'aie osé y entrer, ça t'en bouche un coin ?! Moi aussi. Crois-moi, c'était de la folie. J'ai scanné pour toi ce que j'ai découvert. Détenir cette information est sûrement dangereux. Ça rejoint les annonces qu'on a lues dans les vieux journaux à propos du crâne. À mon avis, les membres de cette société se réunissent encore. Et mon père est l'un d'eux. Rien que d'y penser, j'en ai la chair de poule. Je t'en prie, Sarah, ne t'approche pas de la drague. N'y retourne pas cette nuit. C'est trop risqué.

J'ai une nouvelle information au sujet des bruits que j'ai entendus la nuit de l'accident. Je dois te quitter, maintenant, je t'enverrai ça plus tard. J'ai encore besoin d'y réfléchir.

Reste tranquille !

Ryan

Vendredi 17 septembre, 21h40

Est-ce normal, ce nouveau réflexe de tout effacer? J'ai l'impression d'y être condamné pour le restant de mes jours. Plus tard, je deviendrai espion. Les agents du gouvernement me rechercheront. Je changerai d'identité pour m'installer en Amérique du Sud, dans un village de pêcheurs. Mais ils retrouveront ma trace. Ils me rapatrieront, et mes parents me feront enfermer.

Je hais la technologie.

Heureusement que j'écris tout ça sur du bon papier traditionnel. Quelqu'un pourra lire mon journal quand je ne serai plus là. Si vous mettez la main dessus, et que j'ai disparu, regardez la vidéo de ma chute. Celle dont le mot de passe est « LECORBEAU ». Écoutez ces bruits lointains de métal cognant sur du métal. Je l'ai fait. Je les ai écoutés et réécoutés, et je ne les oublierai jamais.

Allez-y. Retournez en arrière et écoutez.

Vendredi 17 septembre, 22 h 15

Depuis une demi-heure, je suis moins déprimé mais plus tendu. Surfer sur le Net me fait toujours cet effet. Ça me met les nerfs en pelote. J'ai trouvé un alphabet morse et je l'ai bien étudié.

Ce que j'ai entendu sur la drague utilise le même code, quoique d'une manière différente. Les sons longs et courts — représentés par les

tirets et les points – sont remplacés par deux
tonalités différentes. Les points, me semble-t-il,
sont produits par un marteau cognant sur du
fer ; les tirets par une clé anglaise frappant au
même endroit.

Voici le message lancé sur la drague la nuit
de ma chute :

ARE YOU THE ALCHEMIST?

.- .-. . | -.-- --- ..- | - .... . | .- .-.. -.-. .... . -- .. ... - |

En français : ÊTES-VOUS L'ALCHIMISTE ?

Bizarre, non ? Je dois l'admettre, je suis
mort de peur.

Quand j'ai noté les différences de sonori-
tés, je ne m'attendais pas à ce qu'elles aient
un sens.

Or, elles en ont un. C'est une question.

Celui, quel qu'il soit, qui posait cette question attendait une réponse et ne l'a pas eue.
Sarah ne connaît pas plus la réponse ce soir que
cette nuit-là. Peut-être le fantôme de Joe Bush
a-t-il quelque chose à transmettre à quelqu'un,
appelé l'alchimiste. Il faudrait que je sache ce
qu'est au juste un alchimiste.

Et j'ai trouvé ce morceau de papier.

DIAGRAMME DE L'ALCHIMISTE 79 POUR PAUL McCRAY

Paul McCray. Mon père. Plus de doute possible. Mon père est mêlé à cette affaire, de même que la société du crâne.

Qui cognait contre les poutrelles? Le fantôme de Joe Bush?

ÊTES-VOUS L'ALCHIMISTE?

Qu'arriverait-il si, ayant trouvé la réponse, je l'apportais à Joe Bush sur la drague? Que me dirait-il? Que me ferait-il?

En tout cas, celui qui produisait ces sons, cette nuit-là, nous a considérés, Sarah et moi, comme des intrus violant son domaine secret. Nous n'avons pas compris sa question, nous n'avons donc pas répondu. Ça l'a rendu furieux, et il s'en est pris à moi.

Il faut que j'empêche Sarah de retourner là-bas.

Elle NE DOIT PAS y retourner.

Plus jamais.

Vendredi 17 septembre, 22h41

Mes parents sont allés se coucher, Henry est en bas, dans le salon. La journée a été bien remplie : partie de pêche, jeux de cartes, bon repas. Ils doivent tous être fatigués. Je ne peux pas attendre sans rien faire. Sarah est peut-être déjà à la drague ou sur le point de s'y rendre. Il faut que je sorte d'ici. Sa maison n'est pas loin. Avec mes béquilles, je pense que je serais capable d'aller jusque chez elle. Je pourrais frapper à son carreau comme le corbeau, et elle serait sauvée, parce qu'elle ne partirait pas. Elle n'est pas l'alchimiste. Elle ne doit donc pas aller là-bas, car elle n'en reviendrait sans doute pas. Je me réveillerais demain matin, et elle aurait disparu. Personne ne saurait où la chercher.

Vendredi 17 septembre, 23 h 46

Cette fois, j'ai réussi à descendre l'escalier. Il faisait noir et j'allais lentement ; je suis arrivé en bas sans rien faire tomber. J'ai heurté une table avec mon plâtre. Le bruit n'a alerté personne.

J'ai ouvert la porte d'entrée aussi silencieusement que possible. Mais la porte grillagée était fermée. Or, elle est vieille, elle grince. Papa prévoit depuis des lustres de la remplacer sans jamais trouver le temps de s'en occuper. Je l'ai donc poussée avec mille précautions, jusqu'à ce qu'elle nous laisse un passage suffisant, à moi et à mon plâtre volumineux.

Les nuits sont froides, chez nous, quand vient l'automne. On est à 1500 mètres d'altitude. Il devait faire 2 ou 3 degrés, pas plus. 20 degrés dans la journée, et un froid vif le soir, tel est l'automne à Skeleton Creek.

Quand je me suis faufilé par l'entrebâillement, le plancher du porche a craqué.

Alors, j'ai entendu une voix :

– Hé, champion! Il fait plus chaud en haut! Ta mère a allumé le chauffage.

Henry, une bouteille à la main, était affalé sur le vieux canapé, enroulé dans une couverture encore plus vieille:

– On ne respire pas un air comme celui-ci, à New York.

– Vraiment?

– Oh, non! Quand je prendrai ma retraite, je m'installerai définitivement sur cette banquette.

– Tu ferais bien de prévenir maman. Elle va sans doute la vendre.

– Ça serait du gâchis!

On a bavardé un moment sur ce ton, puis j'ai déclaré que j'allais me coucher.

– Je vais t'aider à remonter.

– Ça ira, je t'assure. Je veux y arriver seul. Si tu entends un bruit de chute, précipite-toi. Sinon, c'est que je me débrouille.

– Bonne chance!

Je suis rentré, j'ai traversé le salon et suis allé à la cuisine. Il y a un vieux téléphone jaune, accroché au mur. J'ai composé le numéro de Sarah. C'était idiot, je le reconnais. Seulement, je ne savais plus quoi tenter. Je prenais un risque inconsidéré, mais j'étais sûr qu'elle allait se mettre en danger. Si, pour la sauver, je devais renoncer à elle, j'étais prêt à payer ce prix.

Au bout de quatre sonneries, je m'apprêtais à raccrocher quand sa mère a répondu:

— Allô?

C'était la voix de quelqu'un qu'on vient de réveiller. Ça commençait mal. Je devais pourtant continuer:

— Bonjour, madame Fincher. C'est moi, Ryan.

— Qu'est-ce qui t'arrive, Ryan?

— J'ai fait un drôle de rêve et j'ai eu peur pour Sarah. Un mauvais pressentiment. S'il vous plaît, voulez-vous vous assurer qu'elle va bien?

— Ne quitte pas.

Il y a eu un long silence, pendant lequel j'ai sursauté au moindre bruit. Mes parents pouvaient surgir, Henry pouvait entrer...

146

Au bout de ce qui m'a paru une éternité, la mère de Sarah a repris l'appareil :

— Elle dort.

— Oh, merci ! Je suis rassuré. Désolé de vous avoir dérangée. Désolé, vraiment.

— Ryan, je te rappelle que tu n'es pas autorisé à appeler ici.

— S'il vous plaît, ne dites rien à mes parents. J'étais inquiet, c'est tout. Je n'ai pas parlé à Sarah depuis mon retour de l'hôpital.

— Comment vas-tu ?

— Ça va, madame Fincher. Ça va bien. Ma jambe ne me fait presque plus mal. Merci.

— Bonne nuit, Ryan.

— Bonne nuit.

Je ne pense pas qu'elle vendra la mèche. Du moins, je veux le croire.

Je suis remonté dans ma chambre aussi discrètement que possible, ce qui m'a pris un bon moment. En me mettant au lit, j'ai ressenti une vague de soulagement.

Maintenant, en écrivant ceci, je ne suis plus si tranquille. J'espère avoir pris la bonne décision.

Je suis prêt à supporter tous les ennuis tant que je sais Sarah en sécurité.

Le secret de Skeleton Creek ne vaut pas qu'on meure pour lui.

Samedi 18 septembre, 7h21

Je ne me souviens pas m'être endormi. À mon réveil, j'ai trouvé mon journal au pied de mon lit, le stylo glissé à l'intérieur. C'est moi qui l'ai oublié là? Impossible! Quelqu'un est venu et l'a lu. Je ne vois pas d'autre explication.

Je ne glisse jamais mon stylo entre les pages. Et je ne laisse jamais mon journal sur le lit. C'est papa ou maman. Dans tous les cas, les jeux sont faits. Je ne peux pas penser à tout, je suis si fatigué que je peine à garder les yeux ouverts.

Samedi 18 septembre, 7h35

Je viens de consulter ma boîte mail. Sarah m'a envoyé un autre mot de passe.

Samedi 18 septembre, 7h38

Elle va me rendre fou! Il faudrait que quelqu'un la surveille. Elle est allée à la drague, et elle envisage d'y retourner. Je n'y crois pas!

Elle ne comprend donc pas pourquoi j'ai appelé hier soir?

Elle ne comprend donc pas qu'elle risque d'être blessée? Ou pire?

Et elle ne me montre même pas ce qu'elle a trouvé la nuit dernière! Elle veut d'abord monter les images ou je ne sais quoi. C'est bien elle! Me rendre encore plus impatient que je ne le suis déjà! Ça me met hors de moi, quand elle joue ainsi avec mes nerfs. ET ELLE LE SAIT! Je n'ai qu'une envie : attraper mes béquilles et clopiner jusque chez elle. Je lui dirai en face d'arrêter de me fournir des explications à la petite cuillère. Pour qui me prend-elle? Pour un gamin de deux ans? Et, par la même occasion, je lui reprocherai son imprudence. La situation est toujours la même. Seulement, cette fois, c'est elle qui risque sa vie.

(Je commence à tenir les mêmes raisonnements que mon père, ou quoi?)

samedi 18 septembre, 7h53

Quelquefois, je me représente Sarah comme une allumette enflammée et, moi, je suis le bâton de dynamite. Quoi que nous fassions ensemble, ça se termine toujours par une explosion.

Non, l'image n'est pas exacte. Disons que Sarah et moi sommes deux pôles opposés qui s'entraînent l'un l'autre vers le même dangereux centre. Pourquoi ne sommes-nous jamais attirés par des projets raisonnables? Élever une vache pour la foire agricole, par exemple?

Pourquoi toujours ce goût du danger?

Samedi 18 septembre, 8h15

Parce qu'une vache est un animal ennuyeux et qu'en élever une est une activité ennuyeuse. Le danger est plus excitant.

Samedi 18 septembre, 8h35

La vérité, c'est que je ne supporte pas qu'elle parte à l'aventure tandis que je suis cloué à la maison avec ce stupide plâtre, sous la surveillance de parents suspicieux. Elle est ma meilleure amie, c'est dur d'être tenu à l'écart en me faisant un sang d'encre. Elle me manque ; je me sens très seul.

Je vais chercher sur le Net ce qu'est un alchimiste.

Samedi 18 septembre, 8 h 55

J'ai trouvé quantité de documents à étudier. L'alchimie est une science occulte aux frontières très floues. Les métaux précieux, tels que l'or et l'argent, y jouent un rôle important. TRÈS intéressant.

Aujourd'hui, maman va profiter de son jour de congé pour m'emmener en ville voir le médecin. Elle a pris rendez-vous ce matin par téléphone. On part dans une demi-heure, j'ai juste le temps d'imprimer un tableau que j'ai trouvé. Je vais le coller dans mon journal et l'envoyer par mail à Sarah. Il faut qu'elle voie ça.

Je suis sûr que le médecin va me permettre un peu plus d'autonomie. Je me sentirai mieux. Je pourrai me rendre utile. Je pourrai explorer la ville, à la recherche de l'alchimiste ou de la société secrète. Je pourrai même aller jusqu'à la drague si je veux.

J'ai déjà ressenti ce genre d'excitation. Je sais ce que ça signifie.

Sarah m'entraîne de nouveau avec elle.

samedi 18 septembre, 9h15

Voici ce que je viens de lui écrire :

Sarah,

Je vais chez le docteur, je serai de retour vers 18 heures. Je monterai droit dans ma chambre en espérant des nouvelles de toi. Quand je trouve quelque chose, je le partage tout de suite avec toi. Pourquoi ne fais-tu pas de même ? Je comprends que tu veuilles me *montrer*, pas seulement me raconter tes découvertes, mais attendre est trop frustrant !

Je me déplace plus facilement. Je suis lent et mal à l'aise dans les escaliers, mais je peux sortir de la maison. Si tu retournes à la drague, je veux y aller avec toi. Je ne te laisserai pas seule là-bas une fois de plus. Nous devons rester ensemble, même si le monde entier tente de nous séparer.

Quelqu'un nous a posé une question, cette fameuse nuit, mais on ne l'a pas comprise. Tu te rappelles ces sons métalliques ? Henry m'a expliqué que les ouvriers communiquaient en frappant sur les poutrelles tant la machine faisait de bruit. La question était :

ÊTES-VOUS L'ALCHIMISTE ?

J'ai trouvé le document ci-joint ce matin, sur un site dédié à l'alchimie. Je ne sais pas trop comment l'interpréter.

Tu reconnais le motif de l'oiseau ?

Poursuivons cette enquête ensemble, d'accord ? Ne t'aventure plus toute seule dans les bois.

Ryan

J'ai joint le tableau des symboles.

SYMBOLES ALCHIMIQUES

Antimoine

Esprit sauvage de l'homme sous la forme d'un loup

Arsenic

Dans l'image éternelle d'un cygne

Bismuth

Usage ancien indéterminé

Cuivre

L'un des sept métaux de l'alchimie

Or

Premier métal parfait

Fer

L'un des sept métaux de l'alchimie

Plomb

L'un des sept métaux de l'alchimie

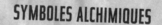

Magnésium

Métal de terre

Mercure

L'un des sept métaux de l'alchimie

Platine

Union de l'or et de l'argent

Potasse

Carbonate de calcium

Argent

Second métal parfait

Soufre

L'une des trois substances célestes

Étain

L'un des sept métaux de l'alchimie

Zinc

Laine philosophique – flocons de neige

Samedi 18 septembre, 10h50

Nous avons un minivan, que papa déteste et qu'il ne conduit presque jamais. Moi, j'aime les minivans. Il y a de l'espace. Pour quelqu'un comme moi qui ne sais pas rester en place, c'est plus confortable quand on fait de longs trajets.

Avec une jambe plâtrée du haut jusqu'en bas, j'apprécie d'autant mieux la taille de ce véhicule. Henry et papa ont retiré les sièges du milieu. J'ai tout l'arrière pour moi, je peux allonger ma jambe et écrire en paix. La suspension est excellente, c'est un écrivain qui vous le dit.

Samedi 18 septembre, 13 h 15

Me voilà seul dans la salle d'examen.

J'utilise un carnet ordinaire, car je ne veux pas qu'on voie mon journal ; j'y recopierai ces pages plus tard (ainsi que celles écrites dans la voiture). C'est une sage précaution, car, dès que j'ai sorti mon crayon — mes considérations sur le minivan n'avaient pourtant pas grand intérêt —, maman n'a pas cessé de me surveiller dans le rétroviseur. Elle aurait bien voulu savoir ce que j'écrivais, c'est clair. Peut-être est-ce elle qui a fouiné dans mes affaires et lu mon journal, d'où sa curiosité. Peut-être se disait-elle qu'il lui faudrait jeter aussi un œil à ce petit carnet.

Ne pas pouvoir faire confiance à ses propres parents, c'est infernal.

Alors que je vantais la suspension de notre véhicule, maman n'a pas pu s'empêcher de me questionner :

— Qu'est-ce que tu écris, Ryan ?

— Des histoires. Je vous les montrerai peut-être un jour.

— Tu me les racontes ?

J'ai fait mine de plaisanter :

— Pourquoi ? Tu ne les as jamais lues ?

Elle a répliqué sur le même ton :

— Entre mon travail et les petits plats à préparer pour Henry, je n'aurais pas eu le temps !

— C'est vrai ?

Elle a repris son sérieux :

— C'est une question de confiance, Ryan. Je ne peux rien te prouver, il faut me croire, c'est tout.

Ce qui était, je suppose, une bonne réponse.

J'ai risqué :

— Et papa ? À ton avis, il a lu mes histoires ?

Elle a cherché brièvement mon regard dans le rétroviseur :

— Si c'est le cas, il est le plus grand hypocrite du pays. Tu connais son respect de la vie privée. Il vaut son pesant d'or, non ?

J'ai approuvé.

Elle a conduit un moment en silence. Il était facile de deviner à quoi elle pensait, car elle a fini par demander :

— As-tu envoyé des mails à Sarah ?

J'ai répondu que non.

— La confiance marche dans les deux sens, tu sais, a-t-elle ajouté.

J'ai dit que je le savais.

Mon amitié avec Sarah fait de moi un menteur.

Il n'y a pas d'autre mot.

Pourquoi les choses sont-elles si compliquées?

Samedi 18 septembre, 17h20

On rentre à la maison.

Maman me surveille du coin de l'œil. Mais je suis trop loin pour qu'elle puisse lire ce que j'écris.

À l'hôpital, tout s'est bien passé. Le médecin a ôté mon gros plâtre et l'a remplacé par un autre, plus léger mais très serré, qui tient avec des sangles. Il m'a fait promettre de le garder en permanence, sauf sous la douche. (Et même là, je devrai être assis sur une chaise.) Il m'a permis d'emporter ma « Grosse Bertha ». J'ai hâte d'être arrivé pour faire la surprise à Henry.

Le docteur m'a recommandé de marcher régulièrement. Ça tombe bien, car j'ai l'intention de retourner à la drague cette nuit. La bonne nouvelle, c'est que j'ai gagné en mobilité. La mauvaise, c'est que je ne réussirai pas à courir s'il faut fuir.

Ce trajet de retour est silencieux, ce qui me permet de réfléchir. Il s'est passé tant de choses, ces deux derniers jours, que je n'ai pas eu le temps de ranger toutes les pièces du puzzle dans ma tête. J'ai peur de retourner à la drague. Surtout de nuit. Je ne voudrais pas voir le vieux Joe Bush émerger de l'eau noire. S'il réussissait à m'attraper, cette fois ? Bien que j'aie dit à Sarah que je l'accompagnerais, je n'arrête pas d'imaginer qu'il m'entraîne au fond de la mare avec lui. Un vrai cauchemar.

J'ai une théorie que je soumettrai à Sarah cette nuit. Comme elle, je pense que tout est lié : la drague, mon père, la société secrète, l'alchimiste, le fantôme de Joe Bush, et même Bonner, le garde forestier.

Être sûr que la drague est hantée, et devoir quand même y retourner, c'est la pire situation que j'aie jamais affrontée. Je m'imagine, traînant ma jambe derrière moi. Le vieux Joe Bush pensera que je me moque de lui. Il n'aimera pas ça.

Samedi 18 septembre, 19h10

Je n'ose pas allumer mon ordinateur. Trop risqué. Il y a trop de monde autour de moi.

J'ai pourtant failli me précipiter dans ma chambre dès notre arrivée.

D'accord, j'avoue : je me cache dans les toilettes, ça me donne au moins le temps de noter quelques petites choses.

Je meurs d'envie d'aller dans ma chambre et d'avoir des nouvelles. J'espère seulement que mes parents ne vont pas monter pour vérifier si j'ai reçu des mails, et découvrir la vidéo de Sarah. Ce serait une catastrophe.

Mais ils sont occupés, ça devrait aller.

J'espère que ça va aller.

Henry et papa ont attrapé deux truites énormes, aujourd'hui, et ont décidé d'organiser un grand dîner sous le porche. Je déteste ce genre de repas. Un million de voisins sont arrivés avec de la salade de pommes de terre, du chou, des haricots et des chips. J'ai dû rester assis sur le vieux canapé pendant une heure, subir question sur question à propos de mon accident.

Personne n'a osé demander ce que je faisais à la drague, mais c'est ce qu'ils auraient voulu savoir. Même s'ils ont leur théorie là-dessus, j'en suis sûr.

Personne n'a mentionné Sarah. Tous ces voisins qui nous ont vus grandir ensemble. Pas un seul n'a prononcé son nom.

Je ne peux pas rester planqué aux toilettes indéfiniment. Dehors, il commence à faire froid. Mais un dîner entre voisins est un événement dans une ville aussi morte que Skeleton Creek. Aucun des convives ne s'en ira tant qu'il ne jouera pas des castagnettes avec ses dents.

Une lourde atmosphère de secret plane dans l'air, rendue plus oppressante encore par la présence de tous ces gens.

Quand j'avais cinq ans, papa m'a emmené pêcher sur la rivière. Il a ferré une belle truite et m'a confié la canne à pêche. On l'a remontée tous les deux, sa grande main recouvrant la mienne. Il a décroché le poisson et l'a assommé en lui cognant la tête contre un rocher. J'ai pleuré pendant tout le trajet de retour.

Je rejette chacune de mes prises. Dès que j'ai attrapé un poisson, je le décroche et le maintiens sous l'eau en le laissant battre des ouïes dans ma main jusqu'à ce qu'il soit prêt à s'éloigner. Je lui parle : « Sois prudent, maintenant. Je suis un gentil pêcheur, mais le prochain pourrait bien t'emporter et te passer à la poêle. Préviens tes petits. »

Qu'on puisse tuer des êtres vivants sans raison m'attriste. Pourquoi ôter la vie à une truite sauvage quand on trouve de l'excellent thon en boîte au supermarché ?

Henry était tout excité d'avoir mon vieux plâtre et s'est confondu en remerciements. Il prévoit un poker, ce soir. La partie va durer au moins jusqu'à minuit, je devrai attendre pour quitter la maison.

Il faut que je prévienne Sarah.

Gladys, la bibliothécaire, s'est pointée au dîner avec un sac de carottes. Elle m'en a tendu une :

— Mange-la ! Ça t'aidera à voir venir les ennuis.

Je n'ai su répliquer que :

— Oui, madame.

Quand elle s'est éloignée, j'ai eu un frisson en repensant au diagramme de l'alchimiste :

REZ-DE-CHAUSSÉE ET 7ᵉ, QUATRE APRÈS LE NEUF sur porte NUMÉRO DEUX = GRENIER BIBLIOTHÈQUE, ENTRER PAR PORTE DE CÔTÉ MARQUÉE 213.

La bibliothécaire est impliquée. De quelle manière ?

Le garde forestier, Daryl Bonner, est venu aussi. C'était curieux de le voir, car je savais à quoi il ressemblait grâce au film de Sarah, et devais faire mine de l'ignorer. Je me suis même levé pour demander à mon père qui c'était. Par chance, il ne portait pas son uniforme, de sorte que ma question ne paraissait pas incongrue. Il a apporté des hamburgers végétariens. Papa en a lancé un sur le barbecue comme un palet de hockey. Tous deux ont discuté tranquillement jusqu'à ce que Henry s'approche et se mette à asticoter Bonner :

– Ces trucs-là sont faits avec de la nourriture pour chiens, vous savez.

– Non, je ne savais pas.

Ils remuaient leur boisson en fixant le palet de hockey en train de griller.

– Une partie de cartes, ce soir, ça vous tente ?

– Avec plaisir.

– Prêtez-moi donc un de ces frisbees surgelés. Ça me donne une idée.

N'étant pas de la ville, Daryl ne soupçonne pas que Henry l'obligera probablement à se coller un hamburger sur le front avant la fin de la nuit. Je suis un peu ennuyé pour lui.

Et je trouve bizarre qu'on soit sous le même toit.

Je vais dire à maman que je suis fatigué. Elle me laissera peut-être monter seul me coucher. Il y a tant de bruit que ça ne l'étonnera pas si je ferme ma porte.

J'espère seulement qu'elle ne s'apercevra pas que j'ai tourné la clé.

Samedi 18 septembre, 19h30

Mes vêtements sentent le poisson grillé, et j'en veux à papa et à Henry d'être allés faire une tuerie sur la rivière. Des adultes devraient se comporter autrement.

Rien ne laisse penser que quelqu'un soit venu fouiller ma chambre. Papa était avec Henry, j'étais avec maman. D'ailleurs, ils ne peuvent pas me soupçonner de m'y être livré à des activités interdites puisque je n'étais pas dans la maison. Mais Sarah m'a envoyé un nouveau mot de passe. Je vais enfin savoir à quoi elle faisait allusion ce matin.

Ryan,

Tu as fait du bon travail en dénichant ce document sur l'alchimie. Sais-tu que les éléments chimiques sont classés par numéros atomiques ? 79 est celui de l'or. C'est ce que j'ai découvert. Tous les secrets de cette ville tournent autour de l'or, ça tombe sous le sens. Peut-être y a-t-il une réserve cachée quelque part ?

Désolée d'avoir fait tous ces mystères, mais, en effet, ça doit être montré, pas raconté. Tu en sauras davantage sur la drague maintenant que j'ai terminé le montage de la vidéo. Mot de passe : LUCYWESTENRA.

Sarah

Lucy Westenra. J'ai déjà lu ce nom quelque part. Peter Quint, je connais, mais cette Lucy ? Je chercherai plus tard. D'abord, j'ai une vidéo à visionner.

sarahfincher.fr
Mot de passe :
LUCYWESTENRA

Samedi 18 septembre, 19h55

Terrible.

Sarah pense que Joe Bush a été tué par l'alchimiste.

Mais nous ignorons qui est l'alchimiste, et même s'il est l'un des membres de la société secrète.

Elle pense aussi que le fantôme de Joe Bush monte la garde. Ou plus exactement qu'il hante l'endroit où l'alchimiste conserve ses secrets. Il attend l'heure de sa vengeance.

Et ce levier que Sarah a remarqué sur l'ancienne photo, et qu'on ne voit plus sur le film qu'elle a tourné hier?

Elle ne doit pas retourner là-bas.

C'est trop dangereux.

Surtout si elle s'y rend seule.

Je n'arrive pas à croire que j'envisage d'y aller, dans l'état où je suis.

Mais, à moins de prévenir ses parents, c'est l'unique moyen de la retenir.

Et ça, je ne peux pas.

Ce serait la fin de tout.

Il faut que j'y aille.

Il fait déjà noir. Bientôt, à la table de poker, quelqu'un portera mon plâtre tout en tenant ses cartes avec un gant de cuisine. Je vais descendre. J'observerai la partie un moment, ça me permettra d'évaluer si elle va se poursuivre ou non. Certains des joueurs ne sont pas de première jeunesse ; à minuit, tout devrait être terminé. J'ajoute presque deux heures pour être sûr.

OK. J'ai envoyé ce mail à Sarah :

Sarah,

Je viens avec toi, point final. Rejoins-moi dans la ruelle derrière chez moi à 1 heure 45. Tu me reconnaîtras facilement, je suis le garçon qui a une jambe dans le plâtre.

J'ai hâte de te revoir.

Ryan

Je n'ai plus qu'à espérer sortir sans me faire repérer.

Samedi 18 septembre, 22 h 00

Je n'ai demandé l'aide de personne pour descendre; je voulais tester ma capacité à atteindre le rez-de-chaussée sans faire de bruit et sans me casser la figure. Personne ne m'ayant remarqué, j'ai recommencé. Ma deuxième tentative a été plus lente et plus pénible, car j'étais fatigué. Bien que mon nouveau plâtre soit encore lourd, je me déplace plus facilement qu'avant. Je devrais y arriver. En emportant une béquille, ça ira.

La partie battait son plein quand j'ai rejoint les joueurs. Ils profitaient de la chaleur du barbecue, qu'ils avaient rapproché de la table de jeu et qui les environnait d'une lumière orangée. Daryl Bonner était affublé d'un casque de footballeur qui a oscillé sur son front quand il m'a adressé un signe de tête. Ils m'ont dévisagé les uns après les autres d'un air qui se voulait amical, mais j'ai senti que ma présence leur paraissait suspecte. Surtout à mon père et à Bonner. Ils ont échangé un regard avant de poser de nouveau les yeux sur moi. C'était très agaçant.

J'avais l'impression d'être un chien dans un jeu de quilles. J'ai donc déclaré que j'allais me coucher. Personne ne m'a invité à rester.

D'ici une heure, deux au maximum, maman va les prier de débarrasser le plancher.

Pas de réponse de Sarah. Où peut-elle bien être ?

Samedi 18 septembre, 23 h 00

La partie de cartes s'est achevée de bonne heure, et je me sens nerveux. Ma fenêtre est un écran de ténèbres où je crois voir apparaître le visage de Joe Bush, les yeux fixés sur moi, de l'eau coulant de ses narines. Ou du sang? Je ne distingue pas bien, il fait trop sombre.

C'est une caractéristique des très petites villes: les nuits y sont très noires. Skeleton Creek n'a que trois lampadaires, et aucun n'est proche de chez moi. Cette nuit, il n'y a pas de lune, les bois vont être particulièrement obscurs.

Du moins, si je m'aventure à y pénétrer. Réussir à sortir sera déjà un exploit. Notre maison date d'un million d'années et produit ces bruits caractéristiques des vieilles bâtisses, de ceux qui réveillent les parents. Rien que dans l'escalier, il y a sept marches qui grincent.

Mes mains sont si moites que j'ai dû m'arrêter d'écrire pour les essuyer sur le drap.

Je ne suis pas sûr de pouvoir le faire.

Dimanche 19 septembre, 00h10

Enfin un message.

Ryan,

D'accord, viens. Mot de passe : MILTONARBOGAST.

Sarah

sarahfincher.fr
Mot de passe :
MILTONARBOGAST

Dimanche 19 septembre, 00h22

Cette nuit, je vais donc me glisser hors de la maison pour rejoindre la seule personne que je n'ai pas le droit de voir. Nous entrerons dans les bois à 1 heure du matin et casserons un cadenas avec une pince de façon à pénétrer dans la drague. Un lieu qui doit être détruit et dont l'accès est interdit. En même temps, la caméra de Sarah enverra les images sur son site, de sorte que, si nous ne revenons pas, les autorités puissent — comment a-t-elle dit, déjà? Ah oui : « Ils trouveront au moins nos corps. »

Sarah a-t-elle perdu la tête?

Et moi? À quoi je joue?

Si je suis pris, mes parents m'emmèneront dans une autre ville, me garderont enfermé pendant cent ans et me nourriront de haricots matin, midi et soir jusqu'à la fin de mes jours.

Pourtant, je souhaite presque me faire prendre. L'alternative est encore pire.

La drague, la nuit. Même à la lumière du jour, je sens encore la présence du spectre qui marche en traînant sa jambe, qui me pose des

questions auxquelles je n'ai pas de réponses.
Et, cette fois, si le fantôme du vieux Joe Bush
s'avance vers moi, je ne pourrai pas m'enfuir en
courant.

Ryan,

C'est bon. Retrouve-moi où je t'ai dit à 1 heure, on retournera directement à la drague. Allume ta webcam (Je t'envoie le mot de passe dans un autre mail) et réponds-moi. Tu me verras te faire signe.

Efface ça! Sarah

Dimanche 19 septembre, 00 h 33

Je suis allé sur son site, je l'ai vue me faire signe ; maintenant, je ne peux plus reculer. Je suis affolé par le tour que prennent les événements.

Mes mains tremblent, j'ai du mal à tenir mon stylo. Je sais pourquoi : c'est pour la même raison qui m'oblige à retourner à la drague cette nuit. Je soupçonne le vieux Joe Bush de s'être introduit dans mon cerveau, parce que je ne cesse de refaire le même cauchemar. Chaque nuit. Je n'en ai parlé à personne. Je ne l'ai même pas écrit. C'est trop effrayant. Si quelqu'un en lisait le récit, il me croirait fou.

Sarah apparaît dans le cauchemar. On est ensemble dans la drague, en train de gravir l'escalier branlant. Arrivée au sommet, elle se retourne et se penche vers moi comme pour m'embrasser. Surpris, je recule, perds l'équilibre et me rattrape à son bras. La rampe rouillée cède derrière mon dos ; j'essaie de lâcher Sarah et je n'y arrive pas. On est collés l'un à l'autre comme deux aimants. Deux aimants qui tombent. Nos corps tournoient en l'air, et elle atterrit sous moi, dans un craquement d'os brisés. Alors, je me réveille.

Dimanche 19 septembre, 00h39

J'ai dû m'arrêter un moment pour réfléchir.

Je me rappelle mes difficultés, quand j'ai commencé ce récit. J'ai remanié les premières phrases une dizaine de fois :

« Ça y est. Je suis mort. » C'est ce que j'ai pensé pendant un instant, cette nuit-là.

J'avais trouvé le ton juste. Le lecteur comprendrait qu'une chose terrible m'était arrivée, sans savoir quoi. Après, j'ai eu moins de difficultés, même si rien n'était clair dans ma tête. Le rêve où Sarah apparaissait me troublait.

À présent, j'ai l'impression d'errer en pleine nuit au milieu de nulle part. J'ai perdu le sens de l'orientation. Ai-je bien eu toutes ses vidéos ? Il me semble que cette nuit va se jouer le dernier chapitre d'une histoire que j'ai déjà vécue.

Pour le moment, je m'efforce de considérer ce cauchemar où Sarah s'écrase en dessous de moi pour ce qu'il est — un cauchemar — alors que tout ce que j'ai écrit est réel. Je me base sur cette hypothèse, car, si ce que j'ai noté dans mon journal n'est pas la vérité, c'est que je tente de me cacher quelque chose. Si j'ai tout inventé, et s'il arrive quoi que ce soit à Sarah par ma faute, je ne pourrai plus me supporter.

Je vais me lever, m'appuyer de tout mon poids sur ma jambe valide et me diriger vers l'escalier sombre. Si je tourne la tête, je verrai le vieux Joe Bush, dehors, qui observe l'intérieur de ma chambre, un corbeau perché sur son épaule. Dès que je serai sorti, il ira droit à la drague pour m'y attendre. Il est plus rapide que moi avec sa bonne jambe.

Quand j'arriverai sur le palier, le cœur battant la chamade, je plongerai mon regard dans la cage d'escalier obscure. Si je rate une marche, la chute sera longue. Ma main moite glissera sur le bois de la rampe.

J'ai l'impression d'avoir déjà vécu tout ça.

Des bribes de phrases se mêlent dans mon esprit confus :

Le crâne. Êtes-vous l'alchimiste? Daryl Bonner. Gladys et son fusil de chasse. Le vieux Joe Bush. Est-ce bien le nom de mon père, sur le document? Un baiser. Un craquement d'os brisés.

Un mot résonne par-dessus tout ça, un seul : or. Tout tourne autour de l'or, je le sais. Quelqu'un a tué Joe Bush à cause de l'or, et le vieil homme veut sa vengeance. Il ne trouvera pas le repos tant qu'il ne sera pas vengé.

J'entreprends un lent voyage dans la maison silencieuse, et je n'ai pas d'autre choix que de la quitter.

Je dispose de vingt minutes, et j'aurai besoin de chaque seconde pour me glisser au-dehors.

J'aimerais emporter ce journal, mais je ne peux pas. J'abandonne une histoire derrière moi pour retourner dans le monde réel. Je vais le laisser entre les plis du drap, pour qu'ils le découvrent demain matin au cas où je ne serais pas là.

S'il vous plaît, si vous trouvez ceci, allez sur sarahfincher.fr. Tapez le mot de passe : TANGINABARRONS.

Vous saurez ce qui nous est arrivé, à Sarah et à moi.

SKELETON CREEK

ÉQUIPE DE PRODUCTION :

Auteur du scénario
Patrick Carman

Directeur/responsable des effets visuels et audios
Jeffrey Townsend

Producteur/directeur artistique
Squire Broel

Directrice de la photographie
Sarah Koenigsberg

Maquilleuses/coiffeuses
Amy Vories
Crystal Berry

Assistants
Peter Means
Ben Boehm

Webmaster US/illustrateur
Joshua Pease

Acteurs
Sarah : Amber Larsen
Ryan : Tom Rowley
Daryl Bonner : Jim Michaelson

Apparitions
Jim Michaelson
Peter Means
Andrew Latta

Musique/fond sonore
Portfolio Days

VOIX FRANÇAISES :

Directeur artistique
Raphaël Anciaux

Chef de projet
Julie Cahana

Acteurs
Sarah : Mélanie Dermont
Ryan : Bruno Muelenaert
Daryl Bonner : Erwin Grunspan

Adaptatrice
Hélène Dray

DUBBING BROTHERS
THE POST-PRODUCTION CENTER

REMERCIEMENTS :

Rella Brown, relations publiques des parcs
de l'Oregon

La ville de Waitsburg et son maire,
Markeeta Little Wolf

Cynthia Croot
Blake Nass
Brian Senter

Peter Rubie
Jeremy Gonzalez
David Levithan
Chistopher Stengel
et toute l'équipe de Scholastic

Cet ouvrage a été mis en pages
par DV Arts Graphiques à La Rochelle

Achevé d'imprimer chez Rotolito (Italie)
en janvier 2011
pour le compte des Éditions Bayard

Imprimé en Italie
N° d'impression: